C000230781

# Three Adventures

## Trois aventures de
## Sherlock Holmes

## Langues pour tous

Collection créée par Jean-Pierre Berman, Michel Marcheteau et Michel Savio, et dirigée par Ismène Cotensin

---

# ANGLAIS Série bilingue

Niveaux : ☐ facile ☐☐ moyen ☐☐☐ avancé

### Littérature anglaise et irlandaise

- **Carroll (Lewis)** ☐
  Alice au pays des merveilles

- **Conan Doyle** ☐
  Nouvelles (6 volumes)

- **Greene (Graham)** ☐☐
  Nouvelles

- **Kinsella (Sophie), Weisberger (Lauren)**
  Love and the City ☐

- **Kipling (Rudyard)** ☐
  Deux nouvelles

- **Maugham (Somerset)** ☐
  Nouvelles brèves

- **Stevenson (Robert Louis)** ☐☐
  L'Étrange Cas du Dr Jekyll
  et de Mr Hyde

- **Tolkien (J.R.R.)**
  Les Aventures de Tom Bombadil

- **Wells (H.G.)**
  Mondes parallèles

- **Wilde (Oscar)**
  Nouvelles ☐
  Il importe d'être constant ☐

### Littérature américaine

- **Bradbury (Ray)** ☐☐
  Nouvelles

- **Kennedy (Douglas)** ☐☐
  Drôle de drague et Délit de fuite

- **Poe (Edgar)** ☐☐☐
  Trois nouvelles

- **London (Jack)** ☐☐
  Histoires du Grand Nord

- **Fitzgerald (Scott)**
  L'Étrange Histoire
  de Benjamin Button ☐

### Anthologies

- **Nouvelles GB/US
  d'aujourd'hui** ☐☐ (2 vol.)

- **Très courtes nouvelles anglaises
  et américaines**
  (volumes 1 à 5)

- **Nouvelles américaines
  classiques** ☐☐

- **Nouvelles anglaises
  classiques** ☐☐

### Ouvrages thématiques

- **L'Humour anglo-saxon** ☐

- **300 blagues britanniques
  et américaines** ☐☐

---

Autres langues disponibles dans les séries de la collection
### Langues pour tous

ALLEMAND · ANGLAIS · ARABE · ESPAGNOL · FRANÇAIS · GREC · ITALIEN
JAPONAIS · LATIN · NÉERLANDAIS · POLONAIS · PORTUGAIS · RUSSE

# ARTHUR CONAN DOYLE

# Three Adventures

## *Trois aventures de*
## *Sherlock Holmes*

Traduction et notes par

Jean-Pierre Berman
*Ancien assistant*
*à l'Université de Paris IV-Sorbonne*

Jean-Pierre Berman a été responsable des moyens audiovisuels du CELSA (Paris IV) (1971-1981) et assistant à l'Université de Paris IV-Sorbonne. Conseiller linguistique au Centre Georges Pompidou, il y a créé et organisé l'espace d'auto-apprentissage (médiathèque de langues) de la BPI (Bibliothèque Publique d'Information) (1975-1983). Il a été ensuite chef du Service des expositions temporaires dans les établissement publiques du CICOM (Carrefour International de la Communication 1983-1986), puis de la Cité des Sciences et de l'Industrie (1986-1988).
Coauteur du *Guide du placard* (Seuil, 1987) et coauteur de plusieurs ouvrages d'apprentissage de l'anglais, il est avec Michel Marcheteau et Michel Savio, codirecteur de la collection Langues pour tous.

MIXTE
Papier issu de
sources responsables
FSC® C003309
www.fsc.org

L'éditeur de cet ouvrage s'engage dans une démarche
de certification FSC® qui contribue à la préservation
des forêts pour les générations futures.

Pour en savoir plus :
www.editis.com/engagement-rse/

© 2016, Éditions Pocket – Langues pour Tous, département d'Univers Poche,
pour la traduction et les notes.
ISBN : 978-2-266-26789-2

# Sommaire

# Prononciation

## Sons voyelles

[ɪ] **pit**, un peu comme
le *i* de *site*

[æ] **flat**, un peu comme
le *a* de *patte*

[ɒ] ou [ɔ] **not**, un peu comme
le *o* de *botte*

[ʊ] ou [u] **put**, un peu comme
le *ou* de *coup*

[e] **lend**, un peu comme
le *è* de *très*

[ʌ] **but**, entre le *a* de *patte*
et le *eu* de *neuf*

[ə] jamais accentué, un peu
comme le *e* de *le*

## Voyelles longues

[iː] **meet** [miːt],
cf. *i* de *mie*

[ɑː] **farm** [fɑːʳm],
cf. *a* de *larme*

[ɔː] **board** [bɔːrd],
cf. *o* de *gorge*

[uː] **cool** [kuːl],
cf. *ou* de *mou*

[ɜː] **firm** [fɜːʳm],
cf. *eu* de *peur*

## Semi-voyelle

[j] **due** [djuː],
un peu comme *diou...*

## Diphtongues (voyelles doubles)

[aɪ] **my** [maɪ], cf. *aïe !*

[ɔɪ] **boy** [bɔɪ], cf. *oyez !*

[eɪ] **blame** [bleɪm], cf. *eille*
dans *bouteille*

[aʊ] **now** [naʊ], cf. *aou*
dans *caoutchouc*

[əʊ] ou [əu] **no** [nəʊ],
cf. *e + ou*

[ɪə] **here** [hɪəʳ], cf. *i + e*

[ɛə] **dare** [dɛəʳ], cf. *é + e*

[ʊə] **tour** [tʊəʳ],
cf. *ou + e*

## Consonnes

[θ] **thin** [θɪn], cf. *s* sifflé
(langue entre les dents)

[ð] **that** [ðæt], cf. *z* zézayé
(langue entre les dents)

[ʃ] **she** [ʃiː], cf. *ch* de *chute*

[ŋ] **bring** [brɪŋ],
cf. *ng* dans *ping-pong*

[ʒ] **measure** ['meʒəʳ],
cf. le *j* de *jeu*

[h] le *h* se prononce ;
il est nettement expiré

## Accentuation

ˈ – accent unique ou principal, comme dans MOTHER ['mʌðəʳ]

ˌ – accent secondaire, comme dans PHOTOGRAPHIC [ˌfəʊtəˈgræfɪk]

ʳ indique que le **r**, normalement muet, est prononcé en liaison ou en américain

# Comment utiliser la série « Bilingue »

Cet ouvrage de la série « Bilingue » permet au lecteur :

• d'avoir accès aux versions originales de textes célèbres en anglais, et d'en apprécier, dans les détails, la forme et le fond ;

• d'améliorer sa connaissance de l'anglais, en particulier dans le domaine du vocabulaire dont l'acquisition est facilitée par l'intérêt même du récit, et le fait que mots et expressions apparaissent en situation dans un contexte, ce qui aide à bien cerner leur sens.

Cette série constitue donc une véritable méthode d'autoenseignement, dont le contenu est le suivant :

• page de gauche, le texte anglais ;

• page de droite, la traduction française ;

• bas des pages de gauche et de droite, une série de notes explicatives (vocabulaire, grammaire, etc.).

Les notes de bas de page aident le lecteur à distinguer les mots et expressions idiomatiques d'un usage courant, et qu'il lui faut mémoriser, de ce qui peut être trop exclusivement lié aux événements et à l'art de l'auteur.

Il est conseillé au lecteur de lire d'abord l'anglais, de se reporter aux notes et de ne passer qu'ensuite à la traduction ; sauf, bien entendu, s'il éprouve de trop grandes difficultés à suivre le récit dans ses détails, auquel cas il lui faut se concentrer davantage sur la traduction, pour revenir finalement au texte anglais, en s'assurant bien qu'il en a dès lors maîtrisé le sens.

# Biographie d'Arthur Conan Doyle

1859 : 22 mai, naissance à Édimbourg d'Arthur Conan Doyle, de Charles Doyle et Mary Foley, catholiques venant d'Irlande, et auparavant de Pont-d'Ouilly en Normandie. Il est le neveu de Richard Doyle, cofondateur de la revue *Punch* et filleul du journaliste normand Michel Conan (1854-1929) ; Conan signifie *chef* en celte.

1868-1875 : élève des Jésuites dans la Public School de Stonyhurst dans le Lancashire.

1875-1876 : il passe à nouveau un an chez les Jésuites, en Autriche pour parfaire son allemand. Il reçoit durant ces années une solide formation qui lui permettra d'accéder à une université de médecine. Par contre, il garde un très mauvais souvenir de cette éducation spartiate, et rejette le christianisme.

1876 : à dix-sept ans, il entame des études de médecine à l'université d'Édimbourg. C'est là qu'il rencontre le professeur de chirurgie Joseph Bell à qui il rendra hommage en ces termes : « C'est très certainement à vous que je dois Sherlock Holmes. Autour des notions de déduction, d'inférence et d'observation que je vous ai entendu enseigner, j'ai tenté de construire un homme. »

1879 : durant ses études, à l'âge de vingt ans, il publie anonymement sa première nouvelle, ***Le Mystère de la vallée de Sasassa***, dans le Chambers's Edinburgh Journal. Le 20 septembre, il publie son premier article médical dans le *British Medical Journal*.

1880 : il navigue pendant sept mois comme médecin à bord d'un baleinier, en route vers le Groenland.

1881 : il obtient son diplôme de médecin généraliste à Édimbourg. D'octobre à janvier de l'année suivante, Doyle sert en qualité de chirurgien sur le steamer *Mayumba*.

1882 : Conan Doyle s'installe comme médecin à Southsea près de Portstmouth. C'est Louise Hawkins, la sœur d'une de ses rares patientes qui le pousse à persévérer dans l'écriture.

Le père de Doyle, Charles est interné pour cause d'alcoolisme et d'épilepsie.

Doyle publie plusieurs articles dans divers magazines comme *The Lancet* et *The British Journal of Photography*.

1883 : le périodique littéraire *Temple Bar* (1860-1906) publie **The Captain of the Pole Star**, *Le Capitaine de l'étoile polaire*

1884 : il publie plusieurs nouvelles dans divers journaux et entreprend l'écriture de **The Firm of Girdlestone**.

1885 : le périodique illustré *London Society* publie en janvier **The Man from Arckangelsk**, *L'Homme d'Arckangelsk* ; il épouse Louise Hawkins en août.

1887-1888 : Doyle s'inspire des progrès de la chimie et de la physique pour composer **A Study in Scarlet**, *Une étude en rouge*, publiée en juillet 1888 par le magazine *Beeton's Christmas Annual* (1860-1898) où apparaît le personnage de Sherlock Holmes, qui reçoit un accueil fort tiède du public.

1889 : naissance de Mary Louise Conan Doyle.

Publication de **Micah Clarke**, roman historique situé dans l'Angleterre du XVIIe siècle.

L'agent américain du *Lippincott's Magazine* (1868-1915), qu'il rencontre au cours d'un dîner, lui commande un roman, ainsi qu'à Oscar Wilde. Ce dernier écrira *Le Portrait de Dorian Gray* et Doyle de **The Sign of Four**, *Le Signe des quatre*, deuxième apparition de Sherlock Holmes.

1890 : publication dans le *Lippincott's Monthly Magazine* de **The Sign of Four**, *Le Signe des quatre*.

Sortie du premier volume de nouvelles de Conan Doyle : **The Captain of the Pole Star and other Tales**, puis de **The Firm of the Girdlestone**.

*Le Signe des quatre* est publié en volume par l'éditeur Spencer Blakett (1860-1908).

Après un court séjour à Vienne pour parfaire ses connaissances médicales, Doyle ouvre à Londres un cabinet d'ophtalmologie aussi peu fréquenté que celui de Southsea. Il consacre ainsi tout son temps libre à l'écriture.

1891 : début de la publication dans le **Strand Magazine** (mensuel illustré britannique publié de janvier 1891 à mars 1950) de *The Aventures of Sherlock Holmes*, *Les Aventures de Sherlock Holmes* (les six premières nouvelles dont Holmes est le héros, illustrées par le dessinateur Sidney Paget 1860-1908), qui connaît un tel succès que Doyle doit suspendre ses consultations pour répondre à la demande, à raison d'une nouvelle par mois. Témoin cette lettre adressée à sa mère en novembre 1891 : « J'envisage de tuer Holmes dans la sixième aventure. Il m'empêche de penser à des choses meilleures. » Celle-ci s'emploiera à déjouer cet assassinat. !

Il publie d'autre part un roman historique, *The White Company*, *La Compagnie blanche*, dont l'action se situe pendant la guerre de Cent Ans.

Mais sa création, bien plus connue que lui, éclipse son œuvre d'historien à laquelle il attache un grand prix.

1892 : six nouvelles *Aventures de Sherlock Holmes* paraissent dans *The Strand*.

Parution en volumes de l'ensemble des *Aventures de Sherlock Holmes*.

En octobre, naissance de son fils Kingsley.

Publication par *The Strand* d'une autre aventure de Sherlock Holmes : *The Cardboard Box*, *La Boîte en carton*. Conan Doyle abandonne la médecine pour se consacrer à la littérature.

Fin 1892, les époux Doyle s'installent à Davos, en Suisse, où le climat est plus adapté à la tuberculose de Louise.

1893 : poursuite de *Les Aventures de Sherlock Holmes* dans *The Strand*. En décembre, elles seront publiées en volume sous le titre *The Memoirs of Sherlock Holmes*, *Les Mémoires de Sherlock Holmes*.

Dans la dernière nouvelle, Doyle décide de faire disparaître Sherlock Holmes, poussé dans les chutes de Reichenbach, en Allemagne, par le sinistre professeur Moriarty, incarnation du Mal, dans *The Final Problem*, *Le Dernier Problème*. Il souhaite ainsi, selon ses propres termes, « se consacrer à un travail littéraire plus ardu ».

Il publie en mai *The Refugees*, *Les Réfugiés*, roman historique relatant les tribulations des huguenots à la suite de la révocation de l'Édit de Nantes.

La comédie musicale *Janne Annie*, écrite en collaboration avec Matthew Barrie, futur auteur de *Peter Pan*, est un échec.

Mort de Charles Doyle, le père d'Arthur.

1894 : Doyle publie des nouvelles à caractère médical ; il entreprend une autobiographie fictionnelle, *The Stark Munro Letters*, *Les lettres de Stark Munro*, qu'il terminera en 1895. Il introduit la pratique du ski norvégien en Suisse.

Puis, accompagné de son frère, il part aux États-Unis où il donnera une série de conférences.

1895 : parution dans *The Strand* de *The exploits of Brigadier Gérard*, *Les Exploits du brigadier Gérard*, nouvelles historico-humoristiques racontées par leur héros, un grenadier de Napoléon.

1896 : *Les Exploits du brigadier Gérard* sont publiés en volume.

La famille Doyle déménage dans le Surrey.

Parution de deux nouvelles : *Rodney Stone* (roman consacré à la boxe), puis *The Field Bazaar*, *Une vente de charité*.

1897 : sortie d'une aventure de pirates : *Captain Sharkey*, dans le mensuel *Pearson's Magazine* (1836-1939) et de *Uncle Bernac*, *L'Oncle Bernac*, roman napoléonien.

1898 : sortie de *The Tragedy of the Korosko*, *La Tragédie du Korosko*, un drame en Égypte ; puis, dans *The Strand*, une série de nouvelles : *Round the Fire Stories*, *Autour du feu*.

1899 : Conan Doyle termine sa série de douze nouvelles sur le feu qui compte 12 récits.

Publication de *A Duet with an Occasional Chorus*, *Un duo* ; parution dans *The Strand* de *The Crowxley Master*, *Le Maître de Croxler* (amour et boxe).

Cette année-là, l'acteur William Gilette (1853-1937) écrit et joue une pièce de théâtre en quatre actes où il incarnera Holmes avec succès pendant 35 ans aux États-Unis, à Londres et dans divers pays anglophones. La pièce est montée à Paris en 1907 ; Firmin Gémier incarne Holmes et Harry Baur le professeur Moriarti.

1900 : engagé volontaire, Doyle est responsable d'un hôpital de campagne pendant la guerre qui oppose l'Angleterre et les Boers en Afrique australe. Il y rencontre le jeune Winston Churchill.

Il publie plusieurs courts récits sur le sujet, *The Great Boer War*, *La Grande Guerre des Boers*.

Il se porte candidat du parti unioniste aux élections à Édimbourg, qu'il perd.

1901 : parution de *The Hound of the Baskervilles*, *Le Chien des Baskerville*, qui renoue les aventures de Sherlock Holmes, que Doyle a dû ressusciter sous la pression populaire…

C'est l'un des récits les plus célèbres des *Aventures de Sherlock Holmes* ; des milliers de personnes, persuadées de l'existence de Holmes, écrivent au détective de Baker Sreet ; le mythe Sherlock Holmes est né.

1902 : parution de *The War in South Africa : Its causes and conduct*, *Causes et conduite de la guerre dans l'Afrique du Sud* ; il y défend les prises de position britanniques lors de la guerre des Boers, ce qui lui vaudra d'être fait **knight**, *chevalier*.

Il est désormais **Sir Arthur Conan Doyle**.

1903 : *The Adventures of Gérard*, *Les Aventures de Gérard*, paraissent en épisodes dans *The Strand*, puis en volume par l'éditeur Georges Newnes (1851-1910).

*The return of Sherlock Holmes*, *Le Retour de Sherlock Holmes* est publié dans le *Strand*.

1904 : Doyle reprend ses recherches sur le Moyen Âge, interrompues par la guerre des Boers, pour rédiger *The Second Stain*, *La Deuxième Tâche* ; il entreprend un roman qui sera publié en feuilleton dans *The Strand Magazine*, en 1905 et 1906, sous le titre de *Sir Nigel*.

1905 : publication en volume de *The Return of Sherlock Holmes*, *Le Retour de Sherlock Holmes*.

Début de la publication en volume de *Sir Nigel* suite de *The White Company*, *La Compagnie blanche* (1891), roman d'aventures historiques.

En août, à l'occasion de la signature de l'Entente cordiale, il reçoit en grande pompe dans sa maison du Surrey, une délégation d'officiers de marine français, emmenés par le vice-amiral Callard.

1906 : sortie de *Sir Nigel*, autres aventures chevaleresques du héros de *The White Company*.

Sir Arthur est battu aux élections auxquelles il se présentait sous l'étiquette unioniste (donc conservateur).

La santé de son épouse Louise s'aggrave et elle s'éteint le 4 juillet 1906. Proche de la dépression, il se lance alors dans la défense d'un jeune homme d'origine indienne injustement accusé et le fait libérer.

1907 : Sir Arthur se remarie le 18 septembre 1907 avec Jean Leckie dont il était amoureux, platoniquement, depuis 1897. Ils auront trois enfants.

1908 : le couple s'installe dans le Sussex.
Mort de l'illustrateur Sidney Paget.
Parution de *The Singular Experience of Mr. John Scott Eccles*, rebaptisé par la suite *The Adventure of Wisteria Lodge*, rebaptisé *The Adventure of the Bruce-Partington*, *Les Plans de Bruce-Parlington*, qui inaugure une nouvelle série d'aventures d'Holmes.

1909 : naissance de son fils Denis.
Doyle s'engage activement dans la dénonciation des violences commises au Congo en publiant *The Crime of the Congo*, *Le Crime du Congo*.

1910 : Doyle intervient pour rétablir la vérité dans l'affaire Oscar Slater, un juif allemand accusé de meurtre et condamné à mort. Il relève de graves irrégularités dans l'enquête policière. Persuadé de l'innocence de l'accusé, il cherche à la prouver. Il n'y parvient pas complètement mais arrive à faire commuer la peine capitale en réclusion à perpétuité. L'innocence ne sera finalement prouvée qu'en 1927 !
Parution dans *The Strand* de *The Marriage of the Brigadier*, *Le Mariage du brigadier*, la dernière des histoires consacrées au brigadier Gérard. Également dans le *Strand*, parution d'une nouvelle aventure d'Holmes, *The Devil's Foot*, *Le Pied du diable*.
Première au théâtre Adelphi (salle de 1 500 places située à Westminster au centre de Londres) de *The Speckled Band*, *La Bande tachetée*.

1911 : sortie dans *The Strand* de *The Red Circle*, *Le cercle rouge* et de *The Disappearance of Lady Frances Carfax*, *La Disparition de Lady France Carfax*.
Doyle se prononce en faveur de l'autonomie de l'Irlande.

1912 : sortie de *The Lost World*, *Le Monde perdu*, où Doyle crée, dans le style de Jules Verne, la première des aventures d'un nouveau personnage, le professeur Challenger.

1913 : Doyle mène campagne pour le tunnel sous la Manche.

Publication en août dans *The Strand* d'une autre histoire du professeur Challenger, *The Poison Belt*, *La Ceinture empoisonnée*, également traduite en *Le Ciel empoisonné*; puis en décembre une aventure de Holmes, *The Dying Detective*, *Le Détective agonisant*.

1914 : début de la parution dans *The Strand* d'une nouvelle aventure de Sherlock Holmes, *The Valley of Fear*, *La Vallée de la peur*, qui s'achèvera en 1915.

Conan Doyle tente, sans succès, de se faire mobiliser comme officier instructeur, mais participe à l'effort de guerre par de nombreux articles.

1916 : il est chargé de mission en 1916, comme correspondant de guerre sur le front français.

1917 : *His Last Bow*, *Son dernier coup d'archet*, recueil de nouvelles ;

1918 : publie *The New Revelation*, *La Nouvelle Révélation*, qui proclame son adhésion au spiritisme auquel il voue un intérêt croissant, en particulier après la mort de son frère Innes et de son fils aîné Kingsley, lors de la bataille de la Somme.

1922 : il fait paraître plusieurs anthologies où Sherlock Holmes n'apparaît pas et un volume de poésies.

Parution de *The Problem of Thor Bridge*, *Le Problème du pont de Thor*, où Holmes réapparaît.

1923 : sortie dans *The Strand* de *The Creeping Man*, *L'homme qui rampait*.

1924 : sortie dans *The Strand* de *The Sussex Vampire*, *Le Vampire du Sussex*.

Publie en septembre un auto-pastiche, *How Watson Learnt the Trick*, *Comment Watson a découvert l'astuce*, dans *The Book of The Queen's Doll House Library*.

1925 : publie dans *The Strand* de *The Three Garridebs*, *Les Trois Garrideb*, et de *The Illustrious Client*, *L'Illustre Client*.

Début de la parution dans *The Strand* de *The Land of Mist*, *Terre de Brume*, roman spirite dont Challenger est le héros.

1926 : sortie de *The Three Gables*, *Les Trois Pignons* ; *The Blanched Soldier*, *Le Soldat blanc* ; *The Lion's Mane*, *La crinière du lion*.

1927 : sortie de ***The Retired Colourman***, *Le Marchand de couleurs retraité* ; ***The Veiled Lodger***, *La Pensionnaire voilée* ; ***Shoscombe Old Place***, *L'Aventure de Shoscombe Old place*.

1928 : publication de ***The Complete Sherlock Holmes Short Stories***, *Anthologie des nouvelles de Sherlock Holmes*.
Son intérêt pour le spiritisme va croissant : il ouvre une librairie spirite à Londres et est élu président de la Fédération Spirite Internationale.

1929 : ***The Macarot Deep***, *Le Tombant de Maracot*, récit à la manière de Jules Verne, où une équipe d'explorateurs, menée par le professeur Maracot, part à la recherche d'une cité engloutie dans l'Atlantide.

1930 : mort d'une crise cardiaque le 7 juillet de Sir Arthur Conan Doyle à Crowborough dans le Sussex.

# The Adventure of
# the Sussex Vampire

## *Le Vampire du Sussex*

Holmes had read[1] carefully a note which the last post had brought[2] him. Then, with the dry chuckle[3] which was his nearest approach to a laugh[4], he tossed it over[5] to me.

"For a mixture of the modern and the mediaeval, of the practical[6] and of the wildly[7] fanciful[8], I think this is surely the limit," said he. "What do you make of[9] it, Watson?"

I read as follows:

46, OLD JEWRY,
Nov. 19th.

Re: Vampires

SIR:
Our client, Mr. Robert Ferguson, of Ferguson and Muirhead, tea brokers[11], of Mincing Lane, has made some inquiry[12] from us in a communication of even date[13] concerning vampires. As our firm specializes entirely upon the assessment[14] of machinery[15] the matter hardly[16] comes within our purview[17], and we have therefore recommended Mr. Ferguson to call upon[18] you and lay the matter before you. We have not forgotten your successful action in the case of Matilda Briggs.

We are, sir, Faithfully yours,
MORRISON, MORRISON, AND DODD.
per E. J. C.

---

1. Verbe irrégulier to read [ri:d], read [red], read [red], *lire*; notez bien la différence de prononciation entre l'infinitif, le présent et le prétérit et le participe passé.

2. Verbe irrégulier to bring [briŋ], brought [brɔ:t], brought [brɔ:t], *apporter, faire parvenir*.

3. chuckle ['tʃʌkl] : *gloussement, petit rire*; to chuckle, *glousser, rire*.

4. laugh [lɑ:f], *rire*; to laugh *v.i.*, *rire*.

5. to toss over : 1. (ici) *lancer*. 2. *enfiler, ajouter, mélanger*.

6. practical : *adj.* 1 (ici) *pragmatique*. 2. *pratique, commode*. 3. *concret*.

7. wildly : *adv.* 1. (ici) *follement, extrêmement*. 2. *furieusement, violemment*. 3. *frénétiquement*.

8. fancyful : 1. (ici) *fantaisiste, capricieux*. 2. *fantasque, excentrique*. 3. *imaginaire*. 4. *imaginatif (ive)*.

Holmes avait lu attentivement un message qui lui était parvenu par le dernier courrier. Puis, avec le petit gloussement caustique qui était chez lui la façon la plus rapprochée du rire, il me le lança.

— Comme un mélange du moderne et du médiéval, du pragmatique et du follement extravagant, je pense que ceci a sûrement atteint la limite, dit-il. Qu'en pensez-vous, Watson ?

Je lus ce qui suit :

46, Old Jewry
Le 19 novembre

Objet : Vampires

Monsieur,
Notre client, M. Robert Ferguson, de Ferguson & Muirhead, courtiers en thé de Mincing Lane, nous a questionnés dans une communication datée d'aujourd'hui concernant les vampires. Comme notre entreprise est entièrement spécialisée dans l'estimation des installations, l'affaire n'est absolument pas de notre ressort, et nous avons par conséquent recommandé à M. Ferguson de vous faire appel et de vous soumettre l'affaire. Nous n'avons pas oublié le succès de votre action dans l'affaire Matilda Briggs.

Nous sommes, Monsieur, fidèlement vôtres,
MORRISON, MORRISON, AND DODD
Par E.J.C.

---

9. **to make of** : *penser* ; *tirer de*.

10. **Re** : abréviation de **regarding**, *concernant, à propos*, donc ici : *Objet*.

11. **broker** : *courtier* (intermédiaire entre deux parties).

12. **inquiry** : 1. (ici) *demande de renseignement*. 2. *enquête, recherche, investigation* ; **inquiry** (**office**), (*Service, Bureau des*) *renseignements*.

13. **of even date** : m. à m. *de la même date* rendu par *datée d'aujourd'hui*.

14. **assessment** : 1. (ici) *estimation, évaluation*. 2. *examen, analyse*.

15. **machinery** : 1. (ici) *installations*. 2. *machinerie, machines*. 3. *rouages*.

16. **hardly** : *adv.* 1. (ici exprime une opinion négative) *absolument pas* ; *rien de*. 2. *à peine* ; *ne... guère*.

17. **purview** : 1. (ici) *domaine, champ, compétence*. 2. *texte* (loi).

18. **to call upon** : 1. (ici) *faire appel*. 2. *exhorter, demander*.

"Matilda Briggs was not the name of a young woman, Watson," said Holmes in a reminiscent[1] voice. "It was a ship which is associated with the giant rat of Sumatra[2], a story for which the world is not yet prepared. But what do we know about vampires? Does it come within our purview either? Anything[3] is better than stagnation[4], but really we seem to have been switched on[5] to a Grimms' fairy tale[6]. Make a long arm, Watson, and see what V has to say."

I leaned back[7] and took down the great index volume to which he referred[8]. Holmes balanced[9] it on his knee, and his eyes moved slowly and lovingly[10] over the record[11] of old cases[12], mixed with the accumulated information[13] of a lifetime[14].

"Voyage of the Gloria Scott," he read. "That was a bad business. I have some recollection that you made a record of it, Watson, though I was unable to congratulate you upon the result. Victor Lynch, the forger[15]. Venomous lizard or gila[16]. Remarkable case, that! Vittoria, the circus belle. Vanderbilt and the Yeggman[17]. Vipers. Vigor, the Hammersmith[18] wonder[19]. Hullo! Hullo! Good old index[20]. You can't beat[21] it. Listen to this, Watson. Vampirism in Hungary. And again, Vampires in Transylvania."

---

1. **reminiscent** : *qui rappelle qqch, qui fait penser à qqch* ; *évocateur, évocatrice.*

2. **the giant rat of Sumatra** : ces rats peuvent peser près de dix kilos et mesurer près d'un mètre.

3. **anything** : 1. (ici) *n'importe quoi, tout.* 2. *rien* (dans une phrase négative). 3. *quelque chose* (dans une question).

4. **stagnation** : *inertie* ; *stagnation.*

5. **to switch on** : 1. (ici) *aiguiller.* 2. *allumer.*

6. **a Grimms' fairy tales** : contes de fées publiés en Allemagne en 1812 par les frères Grimm, Jacob et Wilhem.

7. **to lean back** : 1. (ici) *se pencher en arrière.* 2. *se détendre.*

8. **to refer** : 1. (ici) *mentionner, faire allusion, faire référence.* 2. *concerner.* 3. *soumettre, renvoyer.*

9. **to balance** : 1. (ici) *poser en équilibre.* 2. *équilibrer.* 3. *peser, comparer.* 4. *solder, régler.*

10. **lovingly** : 1. (ici) *avec amour.* 2. *affectueusement.*

11. **record** : 1. (ici) *archives, données.* 2. *enregistrement, disque.* 3. *record* (sport).

— Matilda Briggs n'était pas le nom d'une jeune femme, Watson, dit Holmes d'une voix évoquant un lointain souvenir. « C'était un navire qui est associé au rat géant de Sumatra, une histoire pour laquelle le monde n'est pas encore préparé. Mais que savons-nous des vampires ? Cela relève-t-il de notre domaine ? Tout vaut mieux que l'inertie, mais vraiment il nous semble avoir été plongés dans un conte de Grimm. Allongez votre bras, Watson, et voyez ce que la lettre V en dit.

Je me penchai en arrière et attrapai le gros répertoire alphabétique auquel il faisait allusion. Holmes le posa en équilibre sur ses genoux et ses yeux parcoururent lentement et avec amour les archives d'anciennes affaires, mêlées aux renseignements accumulés au cours d'une vie entière.

— Voyage du Gloria Scott, lut-il. Ce fut une sale affaire. J'ai quelque souvenir que vous en avez fait un dossier, bien que je n'aie pas été en mesure de vous féliciter du résultat. Victor Lynch, le faussaire. Lézard venimeux ou monstre de Gila. Une remarquable affaire, celle-là ! Vittoria, la belle du cirque, Vanderbilt et le Cambrioleur. Vipères. Vigor, la merveille d'Hammersmith. Holà ! Holà ! Le bon vieux répertoire. On ne peut pas le battre. Écoutez ceci, Watson. – Vampirisme en Hongrie. Et encore, Vampires en Transylvanie.

---

12. **case** : 1. (ici) *affaire, cas.* 2. *boîte, boîtier, étui.* 3. *argument, plaidoyer.*

13. **information** : 1. (ici) *renseignement.* 2. *information.* 3. *connaissances* 4. (US) *Service de renseignements.* 5. (GB) *acte d'accusation.*

14. **lifetime** : 1. (ici) *au cours de sa vie, dans une vie entière.* 2. *durée de vie* (outil).

15. **forger** : 1. (ici) *faussaire.* 2. *contrefacteur.*

16. **gila** : espèce de lézard venimeux pouvant atteindre 60 centimètres, venu d'Amérique du Nord.

17. **yeggman** : (argot) *cambrioleur.*

18. **Hammersmith** : quartier très vivant du Grand Londres, sur la rive nord de la Tamise.

19. **wonder** : 1. (ici) *merveille.* 2. *miracle.*

20. **index** : 1. (ici) *répertoire ; index.* 2. *indice.* 3. *fiche.* 4. *signal, indication.*

21. **to beat**, **beat**, **beaten** : 1. (ici) *battre* (sens figuré, le vieux répertoire est imbattable). 2. *battre* (mesure). 3. *battre* (match ; record). 4. *battre* (tambour). 5. *battre* (tuer).

He turned over[1] the pages with eagerness[2], but after a short intent[3] perusal[4] he threw down[5] the great book with a snarl[6] of disappointment.

"Rubbish, Watson, rubbish[7]! What have we to do with walking corpses[8] who can only be held[9] in their grave[10] by stakes[11] driven through[12] their hearts[13]? It's pure lunacy[14]."

"But surely," said I, "the vampire was not necessarily a dead man? A living person might have the habit. I have read, for example, of the old sucking[15] the blood of the young in order to retain[16] their youth."

"You are right, Watson. It mentions the legend in one of these references[1]. But are we to give serious attention to such things? This agency stands flat-footed[18] upon the ground, and there it must remain. The world is big enough for us. No ghosts need apply[19]. I fear that we cannot take Mr. Robert Ferguson very seriously. Possibly this note may be from him and may throw some light upon what is worrying[20] him."

He took up a second letter which had lain unnoticed upon the table whilst he had been absorbed with the first. This he began to read with a smile of amusement upon his face which gradually faded away[21] into an expression of intense interest and concentration.

---

1. **to turn over** : 1. (ici) *tourner*; *retourner*; *faire chavirer*. 2. *réfléchir*; *ruminer*. 3. *rendre*; *remettre*. 4. *changer*; *tranformer*. 5. *fouiller*.

2. **eagerness** : 1. (ici) *empressement*; *impatience*. 2. *excitation*; *enthousiasme*.

3. **intent** : 1. (ici) *attentif (ive)*; *absorbé(e)*; *tout(e) à*. 2. *résolu(e)*, *déterminé(e)*.

4. **perusal** : 1. (ici) *lecture attentive*. 2. *consultation*.

5. **to throw down** : 1. (ici) *laisser tomber*. 2. *lancer, jeter*.

6. **snarl** : 1. (ici) *grognement*. 2. *grondement*.

7. **rubbish** : 1. (ici) *sottises, bêtises*. 2. *camelote*. 3. *détritus, déchets, gravats*.

8. **corpse** : 1. (ici) *cadavre*. 2. *corps*.

9. **held** : part. passé de **to hold**, held, held : 1. (ici) *garder*; *tenir*; *retenir*. 2. *posséder*. 3. *réserver*. 4. *contenir*; *stocker*. 5. *réserver*.

10. **grave** [greɪv] : 1. (ici, nom) *tombe*. 2. adj. *grave*; *sérieux*; *solennel*.

11. **stake** : 1. (ici) *pieu*. 2. *enjeu*. 3. *intérêt, investissement, participation*.

12. **to drive through** : 1. (ici) *enfoncer*. 2. *passer par*.

13. **heart** [hɑːʳt] : 1. (ici) *cœur*. 2. *fond* (de soi-même); *for intérieur*. 3. *centre de qqch*.

24

Il tourna les pages avec impatience, mais après une courte et attentive lecture, il reposa le gros volume avec un grognement de déception.

— Sottises, Watson, sottises ! Qu'avons-nous à faire de cadavres qui marchent et qu'on ne peut garder dans leur tombe qu'avec des pieux enfoncés dans leur cœur ? C'est de la pure folie.

— Mais quand même, dis-je, le vampire n'est pas nécessairement un homme mort ? Une personne vivante pourrait avoir cette habitude. J'ai lu, par exemple, sur des vieux suçant le sang de jeunes afin de conserver leur jeunesse.

— Vous avez raison, Watson. Un des ouvrages de référence mentionne cette légende. Mais devons-nous prêter une attention sérieuse à de telles choses ? Cette Agence a les pieds sur terre, et doit rester ainsi. Le monde est assez vaste pour nous. Aucun fantôme n'a besoin de se présenter. Je crains que nous ne puissions prendre très au sérieux M. Ferguson. Il est possible que ce message puisse être de lui, et pourra donner des lumières sur ce qui le tracasse.

Il se saisit d'une seconde lettre qui était restée ignorée sur la table tandis qu'il avait été absorbé par la première. Il commença à lire celle-ci avec sur son visage un sourire amusé qui s'effaça progressivement en faisant apparaître une expression d'intérêt et de concentration intense.

---

14. **lunacy** : *folie* ; *démence.*

15. **to suck** : 1. (ici) *sucer.* 2. *aspirer.* 3. *être nul.*

16. **to retain** : 1. (ici) *conserver* ; *garder.* 2. *retenir.* 3. *engager.*

17. **references** : 1. *ouvrages de références.* 2. *allusion* ; *référence.* 3. *recommandation.* 4. *coordonnées.* 5. *compétence.*

18. **flat-footed** : m. à m. *pieds à plat,* donc *pieds sur terre.* 2. *maladroit, dépourvu.*

19. **no ghost need apply** : *aucun fantôme n'a besoin de se présenter.*
▶ Notez : le verbe **need** se comporte comme un défectif, et est donc suivi d'un infinitif sans **to**, surtout, comme ici, dans une phrase négative.

20. **to worry** : 1. (ici) *tracasser.* 2. *se tracasser* ; *s'inquiéter* ; *se faire du souci.* 5. *ennuyer* ; *impatienter.*

21. **to fade away** : 1. (ici) *s'effacer.* 2. *s'affaiblir, diminuer* ; *s'éteindre.* 3. *disparaître.*

When he had finished he sat[1] for some little time lost[2] in thought with the letter dangling[3] from his fingers. Finally, with a start[4], he aroused[5] himself from his reverie.

"Cheeseman's, Lamberley. Where is Lamberley, Watson?"

"It is in Sussex[6], South of Horsham[7]."

"Not very far, eh? And Cheeseman's?"

"I know that country, Holmes. It is full of old houses which are named after the men who built them centuries ago. You get Odley's and Harvey's and Carriton's – the folk[8] are forgotten[9] but their names live in their houses."

"Precisely," said Holmes coldly. It was one of the peculiarities of his proud, self-contained[10] nature that though he docketed[11] any fresh[12] information very quietly and accurately[13] in his brain, he seldom made any acknowledgment[14] to the giver[15]. "I rather fancy[16] we shall know a good deal[17] more about Cheeseman's, Lamberley, before we are through[18]. The letter is, as I had hoped, from Robert Ferguson. By the way, he claims[19] acquaintance[20] with you."

"With me!"

"You had better[21] read it."

He handed the letter across[22]. It was headed[23] with the address quoted[24].

---

1. **sat** : prétérit du verbe **to sit, sat, sat**, 1. (ici) *être assis*. 2. *s'asseoir*. 3. (photo) *poser*. 4. *siéger*. 5. *se trouver*; *être posé*. 6. (oiseau) *se percher*.

2. **lost** : *perdu*, part. passé du verbe **to lose, lost, lost**,

3. **dangling**, part. présent du verbe **to dangle**, *pendre*, *(se) balancer*.

4. **start** : 1. (ici) *sursaut*. 2. *ligne de départ* (course). 3. *départ, avance*.

5. **to arouse** : 1. (ici) *s'éveiller, émerger*. 2. *éveiller, susciter*.

6. **Sussex** : le royaume des Saxons du Sud, ou **Sussex**, fut fondé au Vᵉ siècle ; il est situé au sud de Londres au bord de la Manche en Angleterre.

7. **Horsham** : ville du Sussex de l'Ouest en Angleterre.

8. **folk** : 1. (ici) *gens*. 2. *race, peuple*. 3. *musique folklorique*; *musique folk*. 3. **folks** (nom au pluriel) : *famille, parents*. 4. **the old folks**, *les vieux*, **the young folks**, *les jeunes*; **hi folks** ! : *bonjour tout le monde !*

9. **forgotten** : part. passé du verbe irrégulier **to forget, forgot, forgotten**, *oublier*.

10. **self-contained** : 1. *indépendant(e)*. 2. *autonome*. 3. *réservé(e)*.

11. **to docket** : 1. (ici) *enregistrer*. 2. *résumer*.

Quand il eut terminé, il resta assis un certain temps, perdu dans ses pensées, avec la lettre se balançant au bout de ses doigts. Finalement, avec un sursaut il émergea de sa rêverie.

— Cheeseman's, Lamberley. Où se trouve Lamberley, Watson ?

— C'est dans le Sussex, au sud d'Horsham.

— Pas très loin, non ? Et Cheeseman's ?

— Je connais cette région, Holmes. Elle est pleine de vieilles maisons portant le nom des hommes qui les ont construites il y a des siècles. On a Odley's et Harvey's et Carrington's. Ces gens sont oubliés mais leurs noms vivent dans leurs maisons.

— Précisément, dit Holmes froidement.

C'était l'une des particularités de sa nature fière et indépendante, qui bien qu'il enregistrât très vite tout nouveau renseignement avec précision dans son cerveau, il faisait rarement preuve de reconnaissance envers l'informateur.

— Je crois bien que nous allons en savoir beaucoup plus sur Cheeseman's, Lamberley, avant d'en avoir terminé. La lettre est, comme je l'avais espéré, de Robert Ferguson. À propos, il prétend être de vos relations.

— Me connaître !

— Vous feriez mieux de la lire.

Il me passa la lettre. Se trouvait en tête l'adresse mentionnée.

---

12. **fresh** : adj. 1. (ici) *nouveau, nouvelle* ; *original(e)*. 2. *frais, fraîche* (nouvelle ; peinture ; temps). 3. *doux, douce* (eau).

13. **accurately** : 1. (ici) *avec précision* ; *fidèlement*. 2. *exactement*.

14. **acknowledgment** : 1. (ici) *reconnaissance* ; *remerciement*. 2. *quittance*.

15. **giver** : 1. (ici) *informateur*. 2. *donateur (trice)*. 3. *donneur*.

16. **to fancy** : 1. ici, *supposer, imaginer*. 2. *se figurer*. 3. *avoir du goût pour, avoir envie de, être attiré par*.

17. **a good deal more** : *beaucoup plus* ; **deal** : 1. *affaire, marché*. 2. *donne* (cartes). 3. *quantité* (ici). 4. *planche* (bois).

18. **to be through** : 1. (ici) *en avoir terminé, finir*. 2. *être en communication*.

19. **to claim** : 1. (ici) *prétendre* ; *déclarer*. 2. *revendiquer* ; *réclamer* ; *solliciter*.

20. **acquaintance** : *connaissance* ; *relation* ; **claims acquaintance** rendu par *prétend être une de vos relations*.

21. **had better** : est suivi de l'infinitif sans **to**.

22. **to hand across** : *passer*.

23. **headed** : *en-tête*.

23. **to quote** : 1. *citer*. 2. *indiquer* ; *mentionner*. 3. *coter*.

**DEAR MR HOLMES** [it said]:

I have been recommended to you by my lawyers[1], but indeed[2] the matter is so extraordinarily delicate that it is most difficult to discuss. It concerns a friend for whom I am acting[3]. This gentleman married some five years ago[4] a Peruvian lady the daughter of a Peruvian merchant, whom he had met in connection[5] with the importation of nitrates. The lady was very beautiful, but the fact of her foreign birth and of her alien[6] religion always caused a separation[7] of interests and of feelings between husband and wife, so that after a time his love may have cooled[8] towards her and he may have come to regard[9] their union as a mistake. He felt there were sides[10] of her character which he could never explore or understand. This was the more painful as she was as loving[11] a wife as a man could have – to all appearance absolutely devoted.

Now for the point which I will make more plain[12] when we meet. Indeed, this note is merely[13] to give you a general idea of the situation and to ascertain[14] whether[15] you would care[16] to interest yourself in the matter. The lady began to show some curious traits quite alien to her ordinarily sweet and gentle disposition. The gentleman had been married twice and he had one son by the first wife. This boy was now fifteen, a very charming and affectionate youth, though unhappily injured[17] through an accident in childhood.

---

1. **lawyer** : *juriste, homme de loi* ; (ici) *conseil(lère) juridique* ; *avocat* ; *avoué, notaire*.

2. **indeed** : *à vrai dire* ; *en réalité*.

3. **to act** : 1. (ici) *agir*. 2. *faire office de* ; *servir de*. 3. *se comporter*. 4. *jouer* (rôle).

4. **five years ago** : *il y a cinq ans* : *il y a*, indiquant une action passée terminée, est traduit par **ago** placé après l'unité de temps envisagée (ici **five years**). Le verbe de la phrase est toujours au prétérit.

5. **in connection with** : *en rapport avec* ; **connection** : 1. *connexion, lien, rapport*. 2. (élec.) *prise* ; *raccord*. 3. (train) *correspondance*.

6. **alien** : adj. 1. (ici) *étranger (ère)*. 2. *contraire à* ; *opposé à*. 3. *extraterrestre*.

7. **separation** : m. à m. *séparation* rendu ici par *divergence*.

8. **to cool** : 1. (ici) *se refroidir* ; *se calmer*. 2. *refroidir* ; *calmer* ; *détendre*.

*Cher Monsieur Holmes, [disait-elle]*

*Mes avocats m'ont conseillé de m'adresser à vous, mais à vrai dire l'affaire est si extraordinairement délicate qu'elle est des plus difficile à traiter. Elle concerne un ami, pour lequel j'agis. Ce monsieur a épousé il y a environ cinq ans une Péruvienne, fille d'un négociant péruvien, rencontré en rapport avec l'importation de nitrates. La jeune femme était très belle, mais le fait de son origine étrangère et de sa religion différente a toujours causé une divergence d'intérêts et de sentiments entre mari et femme, de telle sorte qu'après un certain temps son amour pour elle a pu s'attiédir et qu'il a pu considérer leur union comme une erreur. Il sentait qu'il y avait des côtés de son caractère qu'il ne pourrait jamais explorer ni comprendre. C'était d'autant plus pénible qu'elle était l'épouse la plus aimante qu'un homme puisse avoir – en toute apparence absolument dévouée.*

*Maintenant abordons le point que je rendrai plus clair quand nous nous rencontrerons. En fait, cette lettre veut simplement vous donner une idée générale de la situation et m'assurer si vous voudriez vous intéresser à cette affaire. La dame a commencé à manifester certains curieux traits tout à fait étrangers à son habituelle douceur et gentillesse. Le monsieur avait été marié deux fois, et avait eu un fils de sa première femme. Le garçon avait alors quinze ans, un jeune très charmant et affectueux, bien que malheureusement blessé dans un accident dans son enfance.*

---

9. **to regard** : 1. (ici) *considérer ; traiter.* 2. *observer.* 3. *tenir compte.*

10. **sides** : 1. (ici) *côté ; aspect.* 2. *face ; bord.* 3. *versant.* 4. *point de vue.*

11. **loving** : *aimant(e) ; tendre.*

12. **plain** : 1. *clair(e) ; évident(e) ; manifeste.* 2. *simple.* 3. *uni(e).* 4. *franc, franche.* 5. *quelconque ; pas très beau, belle.*

13. **merely** : 1. (ici) *simplement ; seulement* 2. *ne... que.*

14. **to ascertain** : 1. (ici) *s'assurer.* 2. *établir ; constater.*

15. **whether** : 1. (ici) *si... (oui ou non).* 2. *que... (oui ou non).*

16. **to care** : 1. (ici) *vouloir.* 2. *s'intéresser, se soucier.* 3. *aimer.*

17. **to injure** : 1. (ici) *blesser ; se blesser.* 2. *offenser.* ▶ Attention à la ressemblance avec le français *injurier*, **to insult**.

Twice the wife was caught[1] in the act of assaulting[2] this poor lad[3] in the most unprovoked[4] way. Once she struck[5] him with a stick[6] and left[7] a great weal[8] on his arm.

This was a small matter, however, compared with her conduct to her own child, a dear boy just under one year of age[9]. On one occasion about a month ago this child had been left by its nurse for a few minutes. A loud cry from the baby, as of pain, called the nurse[10] back. As she ran into the room she saw her employer, the lady, leaning over the baby and apparently biting[11] his neck. There was a small wound[12] in the neck from which a stream[13] of blood had escaped. The nurse was so horrified that she wished to call the husband, but the lady implored her not to do so and actually[14] gave her five pounds as a price for her silence. No explanation was ever[15] given, and for the moment the matter was passed over[16].

It left, however, a terrible impression upon the nurse's mind, and from that time she began to watch her mistress closely and to keep a closer guard[17] upon the baby, whom she tenderly loved. It seemed to her that even as[18] she watched the mother, so the mother watched her, and that every time she was compelled[19] to leave the baby alone the mother was waiting to get at it[20]. Day and night the nurse covered[21] the child, and day and night the silent, watchful mother seemed to be lying in wait as a wolf waits for a lamb.

---

1. **caught** : *prise, surprise*, prétérit du verbe irrégulier **to catch, caught, caught**, 1. (ici) *prendre, surprendre, attraper*. 2. *comprendre, saisir*. 3. *démarrer*.

2. **to assault** : 1. *agresser*. 2. *se livrer à des voies de fait*.

3. **lad** : *gars, garçon*.

4. **unprovoked** : 1. (ici) *gratuit(e), injustifié(e); non provoqué(e)*. 2. *délibéré(e)*.

5. **struck** : prétérit du verbe irrégulier **to strike, struck, stricken**, 1. (ici) *frapper*. 2. *toucher*. 3. *s'abattre*. 4. *atteindre*. 5. *impressionner*. 6. *sonner*.

6. **stick** : 1. (ici) *bâton*. 2. *bout de bois; branche; brindille*. 3. *morceau*. 4. *queue de billard*. 5. *levier de vitesses; manche à balai*.

7. **left** : prétérit du verbe irrégulier **to leave, left, left** 1. (ici) *laisser*. 2. *partir*. 3. *quitter; laisser*. 4. *oublier*. 5. *léguer*.

8. **weal** : 1. (ici) *marque de coup*. 2. *zébrure*. 3. *vergeture*. 4. *bien, bonheur*.

9. **under one year of age** : m. à m. *juste sous un an d'âge*, rendu par *qui avait presque un an*.

10. **nurse** : 1. (ici) *nourrice*. 2. *infirmier (ère); garde-malade*.

L'épouse fut surprise deux fois en train d'agresser ce pauvre garçon d'une façon des plus injustifiée. Une fois elle le frappa avec un bâton, et lui laissa une grande marque sur le bras.

Cependant, ce n'était qu'une petite affaire, comparée à sa conduite envers son propre enfant, un garçon adorable, qui avait presque un an. À une occasion, il y a environ un mois, cet enfant avait été laissé seul par sa nourrice pendant quelques minutes. Un cri perçant, comme de douleur, fit revenir la nourrice. Alors qu'elle entrait en courant dans la chambre, elle vit sa patronne, la dame, penchée sur le bébé et apparemment en train de lui mordre le cou. Il y avait une petite blessure sur le cou d'où s'écoulait un filet de sang. La nourrice fut si horrifiée qu'elle voulut appeler le mari, mais la dame la supplia de ne pas le faire, et lui donna en fait cinq livres pour prix de son silence. Aucune explication ne fut jamais fournie, et l'affaire fut pour un temps passée sous silence.

Cela laissa cependant une terrible impression sur l'esprit de la nourrice, et à partir de ce moment elle commença à surveiller de près sa patronne, et à monter une garde des plus étroite auprès du bébé, qu'elle aimait tendrement. Il lui semblait qu'alors même qu'elle surveillait la mère, la mère la surveillait aussi, et que chaque fois qu'elle était obligée de laisser le bébé seul, la mère attendait pour l'atteindre. Jour et nuit la nourrice veillait l'enfant, et jour et nuit la mère vigilante semblait se tenir à l'affût comme un loup guette l'agneau.

---

11. **biting** : to bite, bit, bitten : 1. (ici) *mordre*.

12. **wound** : 1. (ici) *blessure* ; *plaie*. 2. *blessure* (morale).

13. **stream** : 1. (ici) *filet*. 2. *ruisseau*. 3. *flot*. 4. *jet*. 5. (injures) *torrent*.

14. **actually** : faux ami qui ne signifie pas *actuellement* mais *réellement, en fait* ; *actuellement* se dit **currently, now, today**.

15. **ever** : *jamais* dans une phrase affirmative.

16. **to pass over** : 1. (ici) *passer sous silence*. 2. *transmettre*. 3. *s'affranchir de*.

17. **to keep a closer guard** : m. à m. *tenir une garde plus proche*, rendu par *surveiller de près*.

18. **even as** : m. à m. *même alors* rendu par *alors même*.

19. **compelled** : part. passé de **to compel** : 1. (ici) *obliger*. 2. *contraindre*.

20. **to get at it** : 1. *parvenir à* ; *atteindre*. 2. *trouver*. 3. *s'en prendre à* ; *attaquer*. 4. *acheter, suborner*.

21. **to cover** : 1. (ici) *surveiller*. 2. *cacher, dissimuler*. 3. *parcourir*. 4. *traiter*. 5. *garantir, couvrir*.

It must read most incredible to you, and yet[1] I beg[2] you to take it seriously, for a child's life and a man's sanity[3] may depend[4] upon it.

At last there came one dreadful[5] day when the facts could no longer be concealed from[6] the husband. The nurse's nerve had given way[7]; she could stand[8] the strain[9] no longer[10], and she made a clean breast[11] of it all to the man. To him it seemed as wild[12] a tale as it may now seem to you. He knew his wife to be a loving wife, and, save for[13] the assaults upon her stepson, a loving mother. Why, then, should she wound[14] her own dear little baby? He told the nurse that she was dreaming, that her suspicions were those of a lunatic[15], and that such libels[16] upon her mistress were not to be tolerated. While they were talking a sudden cry of pain was heard. Nurse and master rushed[17] together to the nursery.

Imagine his feelings, Mr. Holmes, as he saw his wife rise from a kneeling position beside the cot[18] and saw blood[19] upon the child's exposed neck and upon the sheet. With a cry of horror, he turned his wife's face to the light and saw blood all round her lips. It was she – she beyond all question[20] – who had drunk[21] the poor baby's blood.

So the matter stands. She is now confined to her room. There has been no explanation. The husband is half demented. He knows, and I know, little of Vampirism beyond the name.

---

1. **yet** : 1. (ici, conjonc.) *pourtant, cependant; néanmoins, toutefois.*
2. adv. *déjà; encore, toujours; jusqu'ici; jusqu'à; après tout, quand même.*

2. **to beg** : 1. (ici) *supplier.* 2. *mendier.* 3. *solliciter.*

3. **sanity** : 1. (ici) *santé mentale.* 2. *bon sens, rationalité.*

4. **may depend upon** : m. à m. *peuvent en dépendre.*

5. **dreadful** : 1. (ici) *affreux (euse); terrible; épouvantable.* 4. *insupportable.*

6. **to conceal** : 1. (ici) *cacher, dissimuler.* 2. *masquer.*

7. **to give way** : 1. (ici) *céder.* 2. *laisser la place.*

8. **to stand, stood, stood** : 1. (ici) *supporter; tolérer.* 2. *mettre, poser.* 3. *se présenter* (situation; candidat). 4. *rester, reposer.* 5. *mesurer* (personne, arbre). 6. (US) *se garer.* 7. (US) *payer une tournée.*

9. **strain** : 1. (ici) *tension.* 2. *pression.* 3. *effort.* 4. *entorse, foulure.*

10. **no longer** : *ne... plus longtemps.*

11. **to make a clean breast** : 1. *dévoiler, avouer la vérité.* 2. *faire amende honorable.*

*Cela doit vous paraître incroyable, et pourtant je vous supplie de prendre cela au sérieux, car la vie d'un enfant et la santé mentale d'un homme en dépendent.*

*Enfin arriva le jour affreux où les faits ne purent être plus long-temps dissimulés au mari. Les nerfs de la nourrice avaient cédé; elle ne pouvait plus longtemps supporter cette tension, et elle dévoila le tout au mari. Cela lui parut une histoire aussi insensée qu'elle peut vous sembler maintenant. Il savait que son épouse était une épouse aimante, et en dehors des violences sur son beau-fils, une mère aimante. Pourquoi alors, blesserait-elle son propre petit bébé chéri ? Il dit à la nourrice qu'elle rêvait, que ses soupçons étaient ceux d'une folle, et que de telles diffamations à l'encontre de sa maîtresse ne pouvaient être tolérées. Alors qu'ils discutaient, un cri de douleur fut soudainement entendu. La nourrice et le maître se précipitèrent ensemble dans la chambre d'enfant. Imaginez ses sentiments, monsieur Holmes, quand il vit sa femme se relever de sa position agenouillée à côté du berceau et vit du sang sur le cou découvert de l'enfant et sur le drap. Avec un cri d'horreur, il tourna le visage de sa femme face à la lumière et vit du sang tout autour de ses lèvres. C'était elle – elle sans aucun doute – qui avait bu le sang du bébé.*

*L'affaire se présente ainsi. Elle est maintenant confinée dans sa chambre. Il n'y a eu aucune explication. Le mari est à moitié fou. Il en sait peu, comme moi, sur le vampirisme en dehors du nom.*

---

12. **wild** : 1. (ici) *insensé(e), délirant(e)*; *extravagant(e) fantaisiste*. 2. *sauvage*; *primitif (ive)*. 3. (vent) *violent(e)*. 4. *fou, furieux (euse)*; *frénétique*. 5. *débraillé(e)*.

13. **save for** : *en dehors, à l'exception, sauf pour*.

14. **to wind, wound, wound** : 1. (ici) *blesser*. 2. *enrouler, rembobiner*. 3. *serpenter, faire des zigzags*.

15. **lunatic** : 1. (ici, nom) *fou (folle)*; *aliéné(e)*; *dément(e)*; (fam.) *cinglé(e), dingue*.

16. **libel** : *calomnie*; *diffamation*. ▶ Notez : le français *libelle* désigne un petit écrit satirique.

17. **to rush** : 1. (ici) *se précipiter*. 2. *galoper*. 3. *bâcler*; *expédier*. 4. *acculer*.

18. **cot** : 1. (ici) *berceau, lit d'enfant*. 2. (US) *lit-cage*.

19. **blood** [blʌd] : 1. (ici) *sang*. 2. (fig.) *énergie*. 3. (végétal) *jus*; *suc*.

20. **beyond all question** : m. à m. *au-delà de toute question*, rendu ici par *sans aucun doute*.

21. **drunk** : prétérit du verbe irrégulier **to drink, drank, drunk**, *boire*.

We had thought it was some wild tale[1] of foreign parts[2]. And yet here in the very[3] heart of the English Sussex – well, all this can be discussed with you in the morning. Will you see me? Will you use your great powers in aiding a distracted man? If so, kindly wire[4] to Ferguson, Cheeseman's, Lamberley, and I will be at your rooms[5] by ten o'clock.

Yours faithfully,
Robert Ferguson.

P.S. – I believe your friend Watson played Rugby for Blackheath when I was three-quarter[6] for Richmond[7]. It is the only personal introduction which I can give.

"Of course I remembered him," said I as I laid down[8] the letter. "Big Bob Ferguson, the finest three-quarter Richmond ever had[9]. He was always a good-natured[10] chap[11]. It's like him to be so concerned [12] over a friend's case."

Holmes looked at me thoughtfully and shook his head.

"I never get your limits[13], Watson," said he. "There are unexplored possibilities about you. Take a wire down, like a good fellow. 'Will examine your case with pleasure.'"

"*Your* case![14]"

---

1. **tale** : 1. (ici) *conte*, *récit*; *histoire*. 2. *mensonge*. 3. (fam.) *bobards*, *balivernes*.

2. **parts** : 1. (ici) *endroit*; *lieu*. 2. *part*, *portion*. 3. (Société) *action*, *participation*. 4. *côté* : ex. *de part et d'autre*.

3. **very** : 1. (ici, adj.) *même* 2. (adj.) *seul*; *simple*. 3. (adv.) *précisément*; *vraiment*.

4. **to wire** : 1. (ici) *câbler*. 2. (ici) *transférer* (argent).

5. **rooms** : 1. (ici) *locaux*; *pièces*; *chambre*. 2. *place* (espace) 3. (fig.) *possibilité*.

6. **three-quarter** : (rugby) *trois-quarts*.

7. **Richmond** : ville du Yorshire en Angleterre qui doit son nom à *Richemont* en Seine-Maritime, à la suite des conquêtes normandes en 1071.

*Nous avions pensé que c'était quelque histoire extravagante de contrées étrangères. Et cependant ici, au cœur même du Sussex anglais... enfin, on pourrait discuter de tout cela demain matin. Me recevrez-vous ? Utiliserez-vous vos grandes facultés pour aider un homme bouleversé ? Si oui, soyez aimable de câbler à Ferguson, Cheeseman's, Lamberley, et je serai dans vos locaux à 10 heures.*

*Sincèrement vôtre,*
*Robert Ferguson*

*P.-S. : Je crois que votre ami Watson a joué au rugby pour Blackheath, pendant que j'étais trois-quarts pour Richmond. C'est la seule introduction personnelle que je puisse fournir.*

— Bien sûr que je me souviens de lui, dis-je en reposant la lettre.

— Big Bob Ferguson, le meilleur trois-quarts qu'ait jamais eu Richmond. Un type toujours facile à vivre. C'est bien de lui de s'inquiéter tant du cas de son ami.

Holmes me regarda d'un air pensif et secoua la tête.

— Je n'arrive jamais à circonscrire vos limites, Watson, dit-il. Il y a en vous des possibilités inexplorées. Notez ce câble, comme un bon camarade.

— J'examinerai votre cas avec plaisir.

— *Votre* cas !

---

8. **to lay down** : 1. (ici) *poser*. 2. (abrév.) *chapitre*. 3. **chaps** : *jambières de cuir.*

9. **ever had** : *jamais eu*, voir note 15, p. 31.

10. **good-natured** : 1. (ici) m. à m. *d'un bon naturel* rendu par *facile à vivre*. 2. (visage) *bon enfant*. 3. (remarque) *sans malice.*

11. **chap** : 1. (ici) *gars, mec, type*. 2. *gerçure.*

12. **concerned** : 1. (ici) *inquiet, inquiète ; soucieux (euse)*. 2. *intéréssé(e) ; en question.*

13. **I never get your limits** : m. à m. *je n'arrive jamais à atteindre vos limites* rendu par *je n'arrive jamais à circonscrire vos limites.*

14. L'italique marque une insistance.

"We must not let him think that this agency is a home[1] for the weak-minded[2]. Of course it is his case. Send him that wire and let the matter rest[3] till morning."

Promptly at ten o'clock next morning Ferguson strode[4] into our room. I had remembered him as a long, slab-sided[5] man with loose limbs[6] and a fine turn of speed[7] which had carried him round[8] many an opposing back[9]. There is surely nothing in life more painful than to meet the wreck[10] of a fine athlete whom one has known in his prime[11]. His great frame[12] had fallen in[13], his flaxen[14] hair was scanty[15], and his shoulders were bowed. I fear that I roused[16] corresponding emotions in him.

"Hullo, Watson," said he, and his voice was still deep and hearty[17]. "You don't look quite the man you did when I threw you over[18] the ropes[19] into the crowd at the Old Deer Park[20]. I expect[21] I have changed a bit also. But it's this last day or two that has aged me. I see by your telegram, Mr. Holmes, that it is no use my pretending to be anyone's deputy[22]."

"It is simpler to deal direct," said Holmes.

"Of course it is. But you can imagine how difficult it is when you are speaking of the one woman whom you are bound[23] to protect and help.

---

1. **home** : 1. (ici) *foyer*; *maison de retraite*. 2. *logement*. 3. *patrie*; *pays natal*. 4. (sport) *arrivée*; *but!*

2. **weak-minded** : *simple d'esprit*; *faible d'esprit*.

3. **to rest** : 1. (ici) *reposer*.

4. **strode** : prétérit du verbe irrégulier **to stride, strode, striden**, *marcher à grands pas*; ici c'est la préposition **into**, *dans* qui amène à traduire **strode** par *entra*.

5. **slab-sided** : *taillé en bloc*.

6. **loose** : 1. (ici) *souple*. 2. *en vrac*. 3. *desserré(e)*, *décousu(e)*. 4. *mou, flasque*. 5. *ample, flottant(e)*. 5. *vague, approximatif*. **limbs** : *membres*.

7. **a fine turn of speed** : *une belle pointe de vitesse*.

8. **to carry round** : *d'échapper*; *se jouer de*.

9. **back** : (ici) *arrière* (rugby).

10. **wreck** : 1. (ici) *épave, loque*. 2. *tas de ferraille* (voiture). 3. *naufrage*.

11. **his prime** : *dans la force de l'âge*; *dans la fleur de l'âge*.

12. **frame** : 1. (ici) *charpente*; *corps*. 2. *cadre*; *encadrement*. 3. *monture* (lunettes).

36

— Nous ne devons pas le laisser penser que cette Agence est un foyer pour simples d'esprit. Bien sûr c'est son affaire ! Envoyez-lui ce câble et laissons l'affaire reposer jusqu'à demain matin.

À dix heures précises le matin suivant, Ferguson entra dans notre pièce. J'avais de lui le souvenir d'un homme de haute taille, taillé en bloc, aux membres souples, capable d'une belle pointe de vitesse, qui lui avait permis d'échapper à plus d'un arrière de l'équipe opposée. Il n'y a sûrement rien de plus pénible dans la vie que de rencontrer l'épave d'un bel athlète que l'on a connu dans la force de l'âge. Sa grande charpente s'était affaissée, ses cheveux blond pâle se faisaient rares, et ses épaules s'étaient voûtées. Je crains d'avoir suscité chez lui des émotions semblables.

— Holà ! Watson, dit-il, et sa voix était toujours profonde et chaleureuse. Vous ne ressemblez pas tout à fait à l'homme que j'ai fait basculer dans la foule par-dessus les cordes au Old Deer Park. Je suppose que j'ai aussi changé un peu. Mais ce sont ces deux ou trois derniers jours qui m'ont fait vieillir. Je vois par votre télégramme, monsieur Holmes, que cela ne sert à rien que je prétende être le remplaçant de quiconque.

— Il est plus simple de traiter directement, dit Holmes.

— Bien sûr. Mais vous pouvez imaginer comme c'est difficile quand on parle de la femme à qui on doit protection et soutien.

---

13. **fallen** : p. passé du verbe irrégulier **to fall, fell, fallen**, 1. (ici) *s'affais-ser, s'avachir.* 2. *tomber ; s'écrouler.* 3. *se poser, s'attarder.* 4. *baisser, descendre.*

14. **flaxen** : 1. (ici) *blond(e) filasse.* 2. *de lin.*

15. **scanty** : 1. (ici) *rare, peu abondant(e).* 2. *insuffisant(e) ; strict mini-mum.* 3. *maigre.*

16. **to rouse** [rauz] : 1. (ici) *susciter, éveiller ; réveiller.* 2. *pousser à.*

17. **hearty** : 1. (ici) *chaleureux (euse).* 2. *franc, franche.* 3. *copieux (euse) ; consistant(e).*

18. **to throw over** : 1. *basculer dans.* 2. *laisser tomber.* 3. *désarçonner.*

19. **ropes** : *cordes ; cordage.*

20. **Old Deer Park** : situé dans le parc du palais de Richmond ; contient l'observatoire royal de Kew fondé en 1768 par le roi Georges III (1738-1820).

21. **to expect** : 1. (ici) 1. *supposer ; penser ; imaginer.* 2. *s'attendre à.* 3. *comp-ter sur, escompter ; espérer.* 4. *demander, exiger.* 5. *attendre.*

22. **deputy** : 1. (ici) *remplaçant.* 2. *adjoint(e) ; sous-chef.* 3. *député.*

23. **to be bound to** : *être obligé, avoir l'obligation de.*

What can I do? How am I to go to the police[1] with such[2] a story? And yet the kiddies[3] have got to be protected. Is it madness[4], Mr. Holmes? Is it something in the blood? Have you any similar case in your experience? For God's sake[5], give me some advice, for I am at my wit's end[6]."

"Very naturally, Mr. Ferguson. Now sit here and pull yourself together[7] and give me a few clear answers. I can assure you that I am very far from being at my wit's end, and that I am confident[8] we shall find some solution. First of all, tell me what steps[9] you have taken. Is your wife still near the children?"

"We had a dreadful scene[10]. She is a most loving woman, Mr. Holmes. If ever a woman loved a man with all her heart and soul[11], she loves me. She was cut to the heart[12] that I should have discovered this horrible, this incredible, secret. She would not even speak[13]. She gave no answer to my reproaches, save to gaze[14] at me with a sort of wild, despairing look in her eyes. Then she rushed to her room and locked herself in[15]. Since then she has refused to see me. She has a maid[16] who was with her before her marriage[17], Dolores by name – a friend rather than[18] a servant. She takes her food to her."

"Then the child is in no immediate[19] danger?"

---

1. **police** [pəˈliːs].

2. **such** : 1. (ici) *tel, telle* ; *pareil(le)* ; *ce genre*. 2. (adv.) *comme*. 3. (adv.) *tellement*.

3. **kiddie, kiddy** : 1. (ici) *tout-petits* ; *gosses*. 2. (adj.) *mini*.

4. **madness** : *folie*.

5. **God's sake** : 1. (ici) *pour l'amour de Dieu*. 2. *nom d'un chien* ; *bon sang*.

6. **to be at wit's end** : 1. (ici) *ne plus savoir quoi faire*. 2. *être frustré(e) et énervé(e)*. 3. *être au bout du rouleau*.

7. **to pull oneself together** : 1. (ici) *se ressaisir*. 2. *se reprendre en main*. 3. *se concentrer*.

8. **to be confident** : (ici) *être confiant(e)* ; *avoir confiance*.

9. **steps** : 1. (ici) *mesure* ; *disposition*. 2. *étape*. 3. *marche*. 4. *pas*.

10. **scene** [siːn] : 1. (ici) *scène* (de ménage). 2. *scène* (théâtre).

Que puis-je faire ? Comment puis-je aller à la police avec une telle histoire ? Et cependant les gosses doivent être protégés. Est-ce de la folie, monsieur Holmes ? Est-ce que c'est quelque chose dans le sang ? Avez-vous eu un cas semblable dans votre expérience ? Pour l'amour de Dieu donnez-moi des conseils, car je ne sais plus quoi faire.

— Bien naturellement, monsieur Ferguson. Maintenant asseyez-vous et ressaisissez-vous, et donnez-moi quelques réponses claires. Je peux vous assurer que je suis loin de ne plus savoir quoi faire et que j'ai bon espoir que nous trouverons une solution. Tout d'abord dites-moi quelles sont les mesures que vous avez prises. Votre femme est-elle toujours près des enfants ?

— Nous avons eu une scène terrible. C'est une femme des plus aimante, monsieur Holmes. Si jamais une femme a aimé un homme de tout son cœur et de toute son âme, c'est elle. Elle a eu le cœur transpercé par ma découverte de cet horrible et incroyable secret. Elle n'a même pas pu parler. Elle n'a donné aucune réponse à mes reproches, à part me fixer avec une sorte d'air éperdu et désespéré dans ses yeux. Puis elle s'est précipitée dans sa chambre et s'y est enfermée. Depuis elle a refusé de me voir. Elle a une femme de chambre qui était à son service avant notre mariage, qui s'appelle Dorothée – une amie plus qu'une servante. Elle lui porte sa nourriture.

— Alors l'enfant n'est pas en danger dans l'immédiat ?

---

11. **soul** : 1. (ici) *âme*. 2. *essence*. 3. **all-soul** : *la Toussaint*. 4. *soul* (musique).

12. **cut to the heart** : 1. (ici) *transpercé*. 2. *frappé(e) au cœur*. 2. *dans le vif du sujet* ; *au cœur de*.

13. **not even** : *pas même*.

14. **to gaze** : 1. (ici) *fixer*. 2. *contempler*.

15. **to lock in** : *s'enfermer* ; **lock** : *verrou, serrure*.

16. **maid** : 1. (ici) *femme de chambre* ; *femme de ménage* ; *bonne* ; *employée de maison*.

17. **marriage** ['mærɪdʒ].

18. **rather than** : *plutôt que*.

19. **immediate** : [ɪ'mi:dɪət].

"Mrs. Mason, the nurse, has sworn[1] that she will not leave it night or day. I can absolutely trust[2] her. I am more uneasy[3] about poor little Jack, for, as I told you in my note, he has twice[4] been assaulted by her."

"But never wounded?"

"No, she struck him savagely[5]. It is the more terrible as he is a poor little inoffensive cripple[6]." Ferguson's gaunt[7] features[8] softened[9] as he spoke of his boy. "You would think that the dear lad's condition would soften anyone's heart. A fall[10] in childhood and a twisted spine[11], Mr. Holmes. But the dearest, most loving heart within."

Holmes had picked up[12] the letter of yesterday and was reading it over[13]. "What other inmates[14] are there in your house, Mr. Ferguson?"

"Two servants who have not been long with us. One stablehand[15], Michael, who sleeps in the house. My wife, myself, my boy Jack, baby, Dolores, and Mrs. Mason. That is all."

"I gather[16] that you did not know your wife well at the time of your marriage?"

"I had only known her a few weeks."

"How long had[17] this maid Dolores been with her?"

"Some years."

---

1. **sworn** : part. passé du v. irrégulier to swear, swore, sworn, *jurer*.

2. **to trust** : 1. (ici) *faire confiance à, avoir confiance*; *se fier à*; **to trust that**, *être confiant, espérer que, être convaincu que*. 2. *confier*. 3. *supposer*; *espérer*. 4. v.i. *croire*, **to trust in God**, *croire en Dieu*.

3. **uneasy** : 1. (ici) *inquiet*. 2. *géné*. 3. *précaire* (paix).

4. **twice** : *deux fois, à deux reprises*; *par deux fois*.

5. **savagely** : 1. *sauvagement*. 2. *brutalement*.

6. **cripple** : 1. (ici) *infirme*. 2. *handicapé(e)*. 3. *estropié(e)*. 4. *paralysée* (industrie).

7. **gaunt** : 1. (ici) *émacié*. 2. *décharné(e)*; *maigre*. 3. *désolé, morne* (paysage).

8. **features** : 1. (ici) *traits* (visage). 2. *caractéristique, particularité*. 3. *reportage (TV)*; *article de fond*. 4. *long métrage* (cinéma).

9. **to soften** : 1. (ici) *attendrir*. 2. *atténuer*. 3. *adoucir, s'adoucir*. 4. *assouplir, s'assouplir*. 5. *ramollir*.

— Mme Mason, la nourrice, a juré qu'elle ne le quitterait pas jour et nuit. Je peux lui faire absolument confiance. Je suis plus inquiet au sujet du pauvre petit Jacky, car, comme je vous l'ai dit dans ma lettre, il a été agressé deux fois par elle.

— Mais jamais blessé ?

— Elle l'a frappé sauvagement. C'est d'autant plus terrible que c'est un pauvre petit infirme inoffensif...

Les traits émaciés de Ferguson s'adoucirent tandis qu'il parlait de son fils.

— On penserait que l'état de ce cher enfant attendrirait le cœur de n'importe qui. Une chute dans son enfance l'a laissé avec une colonne vertébrale tordue, monsieur Holmes. Mais il a un cœur des plus doux et des plus affectueux.

Holmes avait pris la lettre de la veille et la lisait.

— Qui d'autre habite dans votre maison, monsieur Ferguson ?

— Deux domestiques qui ne sont pas chez nous depuis long-temps. Un garçon d'écurie, Michael, qui dort dans la maison. Ma femme, moi-même, mon garçon Jack, le bébé, Dolores, et Mme Maso. C'est tout.

— Je suppose que vous ne connaissiez pas bien votre femme au moment de votre mariage ?

— Je ne la connaissais que depuis quelques semaines.

— Depuis combien de temps cette femme de chambre Dolores, était-elle à son service ?

— Quelques années.

---

10. **fall** : 1. (ici) *chute*. 2. *effondrement* ; *éboulement*. 3. *capitulation*. 4. *pente* ; *inclinaison*. 5. (US) *automne*.

11. **twisted spine** : *colonne vertébrale tordue*.

12. **to pick up** : 1. (ici) *prendre* ; *ramasser*. 2. *capter* (radio). 3. *reprendre une conversation*. 4. *se rétablir*. 5. *pincer* (arrêter). 6. *se rassembler*.

13. **to read over** : *parcourir* (lecture).

14. **what other inmates are there** : m. à m. *quels autres résidants y a-t-il...* rendu par *qui d'autre habite...* **inmate** : 1. (ici) *résidant, occupant(e)*. 2. *détenu(e)* ; *interné(e)*. 3. *malade* (hôpital).

15. **stable-hand** : *valet d'écurie*.

16. **to gather** : 1. (ici) *comprendre, déduire*. 2. *ramasser* ; *recueillir, cueillir* ; *récolter*. 3. *s'assembler, s'attrouper*. 4. (nuages) *se former*.

17. **How long...** : + present perfect **has been**, traduit par *depuis...*

"Then your wife's character[1] would really be better known by Dolores than by you?"

"Yes, you may say so."

Holmes made a note.

"I fancy[2]," said he, "that I may be of more use[3] at Lamberley than here. It is eminently[4] a case for personal investigation. If the lady remains in her room, our presence could not annoy[5] or inconvenience[6] her. Of course, we would stay[7] at the inn[8]."

Ferguson gave a gesture[9] of relief[10].

"It is what I hoped, Mr. Holmes. There is an excellent train at two from Victoria if you could come."

"Of course we could come. There is a lull[11] at present. I can give you my undivided[12] energies. Watson, of course, comes with us. But there are one or two points[13] upon which I wish to be very sure before I start. This unhappy lady, as I understand it, has appeared[14] to assault both[15] the children, her own baby and your little son?"

"That is so."

"But the assaults take different forms, do they not? She has beaten[16] your son."

---

1. **character** : 1. (ici) *caractère* (personne). 2. *personnage* (cinéma, roman, théâtre). 3. *lettre*; *caractère* (symbole d'écriture).

2. **to fancy** : 1. ici, *supposer, imaginer*. 2. *se figurer*. 3. *avoir du goût pour, avoir envie de, être attiré par*.

3. **use** : 1. (ici) *utilité*, rendu ici par *utile*. 2. *objectif*. 3. *usage, utilisation*. 4. *besoin*.

4. **eminently** : 1. (ici) *clairement*. 2. *particulièrement*. 3. *avant tout*. 4. *éminemment*.

5. **to annoy** : 1. (ici) *ennuyer*. 2. *agacer*.

6. **to inconvenience** : 1. (ici) *déranger*; *gêner*. 2. *embarrasser*.

7. **to stay** : 1. (ici) *demeurer*; *loger*; *séjourner*. 2. *rester*.

8. **inn** : 1. *auberge*. 2. *taverne*.

9. **gesture** ['dʒestʃəʳ] : 1. (ici) *geste*. 2. *signe*.

— Donc le caractère de votre femme doit lui être mieux connu que par vous ?

— Oui, vous pouvez dire ça.

Holmes prit une note.

— Je crois, dit-il, que je serais plus utile à Lamberley qu'ici. C'est clairement un cas nécessitant une investigation personnelle. Si la dame reste dans sa chambre, notre présence ne saurait ni l'ennuyer ni la déranger. Bien sûr, nous demeurerions à l'auberge.

Ferguson eut un geste de soulagement.

— C'est ce que j'espérais, monsieur Holmes. Il y a un excellent train à deux heures à Victoria, si vous pouvez venir.

— Bien sûr que nous viendrons. C'est une période calme en ce moment. Je peux vous consacrer mon énergie tout entière. Watson vient avec nous, bien sûr. Mais il y a un ou deux points sur lesquels je souhaite bien m'assurer avant de m'engager. Cette malheureuse dame, à ce que je comprends, semble avoir agressé les deux enfants, son propre bébé et votre petit garçon ?

— C'est cela.

— Mais les attaques prennent des formes différentes, n'est-ce pas ? Elle a battu votre fils ?

---

10. **relief** [rɪˈliːf] : 1. (ici) *soulagement.* 2. *secours.*

11. **lull** : 1. (ici) *période calme.* 2. *accalmie, pause.* 3. *trêve* (combat) ; *arrêt.* 5. *blanc, trou* (dans une conversation).

12. **undivided** : 1. (ici) *tout(e) entier, entière.* 2. *unanime.*

13. **point** : 1. (ici) *point ; question.* 2. *endroit.* 3. *moment, période.* 4. *stade.* 5. *essentiel.*

14. **to appear** : 1. *sembler ; avoir l'air ; paraître.* 2. *apparaître.* 3. *être publié, paraître, sortir.* 4. *jouer dans une pièce.* 5. *comparaître* (tribunal).

15. **both** : 1. (ici) *les deux, tous / toutes deux.* 2. *l'un(e) et l'autre.*

16. **beaten** : part. passé du verbe irrégulier **to beat, beat, beaten,** 1. (ici) *battre, frapper.* 2. *battre, vaincre.* 3. *battre* (vent). 4. (retraite) *battre.* 5. (tambour) *battre.* 5. (cœur) *battre.* 6. **beat it** ! *dégage !*

"Once with a stick and once very savagely[1] with her hands."

"Did she give no explanation why she struck him?"

"None[2] save that she hated[3] him. Again and again[3] she said so."

"Well, that is not unknown[4] among stepmothers[5]. A posthumous jealousy, we will say. Is the lady jealous by nature[6]?"

"Yes, she is very jealous – jealous with all the strength[7] of her fiery[8] tropical love."

"But the boy – he is fifteen, I understand, and probably very developed in mind[9], since[10] his body has been circumscribed[11] in action. Did he give you no explanation of these assaults?"

"No, he declared there was no reason."

"Were they good friends at other times?"

"No, there was never any love[12] between them."

"Yet you say he is affectionate[13]?"

"Never in the world could there be so devoted a son. My life is his life. He is absorbed[14] in what[15] I say or do."

Once again Holmes made a note. For some time he sat lost in thought[16].

"No doubt you and the boy were great comrades[17] before this second marriage[18].

---

1. **savagely** ['sævɪdʒlɪ].

2. **none** : pron. *aucun(e)* ; **there is none left**, *il n'y en a plus*.

3. **to hate** : *détester* ; *haïr* ; **hate**, nom : *haine* ; **pet hate**, *bête noire*.

4. **unknown** : 1. (ici) *inconnu(e)*. 2. *mystérieux (euse)*. 3. *méconnu(e)*.

5. **stepmother** : *belle-mère* ; (fam.) **step-mom**.

6. **nature** ['neɪtʃər].

7. **strength** : 1. (ici) *force*. 2. *solidité*. 3. *puissance*. 4. *intensité*. 5. *degré d'alcool*.

8. **fiery** : 1. (ici) *explosif (ive)* (tempérament) ; *ardent(e), fier, fière*. 2. *fougueux (euse)*. 3. *rougeoyant(e)*.

9. **very developed in mind** : m. à m. *très développé dans l'esprit*.

— Une fois avec une canne et une autre très sauvagement avec ses mains.

— A-t-elle donné quelque explication pourquoi elle l'a frappé ?

— Aucune, sinon qu'elle le détestait. Elle l'a dit encore et encore.

— Eh bien, ce n'est pas inconnu chez les belles-mères. Une jalousie posthume, dirons-nous. La dame est-elle jalouse de nature ?

— Oui, elle est très jalouse – jalouse avec toute la force de son fier amour tropical.

— Mais le garçon – il a quinze ans, et d'après ce que je comprends, a probablement un esprit très développé, puisque son corps a une action limitée. Vous a-t-il donné une quelconque explication à propos de ces attaques ?

— Non ; il a déclaré qu'il n'y avait aucune raison.

— Ont-ils été amis à d'autres époques ?

— Non, il n'y a jamais eu d'affection entre eux.

— Pourtant vous dites qu'il est affectueux ?

— Il n'y a jamais eu au monde de fils aussi dévoué que lui. Ma vie est la sienne. Il est absorbé par tout ce que je dis ou fais.

Une fois de plus Holmes écrivit une note. Pendant un moment il resta assis, pensif.

— Il ne fait aucun doute que vous et le garçon étiez de grands camarades avant ce second mariage.

---

10. **since** : *puisque* + present perfect **has been circumscribed**.
11. **circumscribed** : 1. (ici) *limitée*. 2. *délimité(e)*. 3. *encadré(e)*. 4. *circonscrit(e)*.
12. **love** : 1. (ici) *affection*. 2. *amour*.
13. **affectionate** : 1. (ici) *affectueux (euse)*. 2. *tendre*.
14. **absorbed** : 1. (ici) *absorbé(e)*. 2. *amorti(e)*. 3. *assimilé(e)*. 4. *imprégné(e)*.
15. **what** : *ce que*.
16. **lost in thought** : 1. (ici) *perdu dans ses pensées*. 2. *pensif, pensive*.
17. **comrade** : 1. (ici) *camarade*. 2. *compagnon, compagne*.
18. **marriage** ['mærɪdʒ].

You were thrown[1] very close together, were you not[2]?"

"Very much so[3]."

"And the boy, having so affectionate a nature, was devoted[4], no doubt, to the memory of his mother?"

"Most devoted."

"He would certainly seem to be a most interesting lad. There is one other point about these assaults. Were the strange attacks upon the baby and the assaults upon yow son at the same period?"

"In the first case it was so[5]. It was as if some frenzy[6] had seized[7] her, and she had vented[8] her rage upon both. In the second case it was only Jack who suffered. Mrs. Mason had no complaint to make about the baby."

"That certainly complicates[9] matters[11]."

"I don't quite[10] follow you, Mr. Holmes."

"Possibly not. One forms[11] provisional[12] theories and waits for time or fuller[13] knowledge[14] to explode[15] them. A bad habit, Mr. Ferguson, but human nature is weak[16]. I fear that your old friend here has given an exaggerated view of my scientific methods. However, I will only say at the present stage[17] that your problem does not appear to me to be insoluble, and that you may expect to find us at Victoria[18] at two o'clock."

---

1. **were thrown** : m. à m. *vous avez été lancés très ensemble*, rendu par *les circonstances vous avaient beaucoup rapprochés*.

2. **were you not?** : *n'est-ce pas ?* : ici, la phrase est affirmative, **you were thrown…**, on reprend l'auxiliaire **were** à la forme interro-négative au temps et à la personne voulue.

3. **very much so** : m. à m. *très beaucoup ainsi* rendu par *tout à fait*.

4. **devoted** : 1. (ici) *attaché(e)*. 2. *fidèle, loyal(e)*. 3. *dévoué(e)*. 4. *voué(e)*. 5. *fervent(e)*. 6. *consacré(e) ; dédié(e)*.

5. **it was so** : m. à m. *c'était ainsi*, rendu par *oui*.

6. **frenzy** : 1. (ici) *frénésie*. 2. *folie*. 3. *extase*.

7. **to seize** [si:z] : 1. *s'emparer*. 2. *saisir*. 3. *capturer*.

8. **to vent** : 1. (ici) *décharger*. 2. *purger* (radiateur). 3. *évacuer* (gaz).

9. **to complicate matters** : *compliquer les choses*.

10. **quite** : 1. (ici) *tout à fait*. 2. *assez*. 3. *exactement*. 4. **quite a party !** *une sacrée soirée !*

— Les circonstances vous avaient beaucoup rapprochés, n'est-ce pas ?

— Tout à fait.

— Et le garçon, ayant une nature si affectueuse, était sans doute attaché à la mémoire de sa mère ?

— Des plus attaché.

— Il semble être un garçon des plus intéressants. Il y a un autre point concernant ces agressions. Est-ce que les étranges attaques contre le bébé et les agressions contre votre fils ont eu lieu à la même époque ?

— Dans le premier cas, oui. C'était comme si une certaine frénésie s'était emparée de lui, et qu'elle avait déchargé sa rage sur les deux. Dans le second cas, c'est uniquement Jack qui en a souffert. Mme Maso n'a eu aucune plainte à faire concernant le bébé.

— Cela complique certainement les choses.

— Je ne vous suis pas très bien, monsieur Holmes.

— Probablement non. On forme des théories provisoires et on attend que le temps ou de plus complètes informations les anéantissent. Une mauvaise habitude, monsieur Ferguson ; mais la nature humaine est fragile. Je crains que votre vieil ami n'ait donné une image exagérée de mes méthodes scientifiques. Cependant je dirai seulement, au stade actuel, que votre problème ne m'apparaît pas insoluble, et que vous pouvez vous attendre à nous trouver à la gare de Victoria à deux heures.

---

11. **to form** : 1. (ici) *former, élaborer, concevoir, construire.* 2. *façonner.* 3. *contracter* (habitude). 4. *créer ; fonder ; composer.*

12. **provisional** : 1. (ici) *provisoire.* 2. *temporaire.*

13. **fuller** : comparatif de **full** : 1. (ici) *complet, complète ; ample.* 2. *plein(e).* 3. *généreux (euse).* 4. *abondant(e).*

14. **knowledge** : 1. (ici) *connaissance.* 2. *savoir.*

15. **to explode** : 1. (ici) *anéantir.* 2. *exploser, sauter.*

16. **weak** : 1. (ici) *fragile ; faible.* 2. *délicat(e).* 3. *mauvais(e).* 4. *mou, molle.*

17. **stage** : 1. (ici) *stade.* 2. *étape.* 3. (théâtre) *scène.*

18. **Victoria** : une des principales gares terminus de Londres construite de 1852 à 1862. De nos jours, Victoria constitue le terminus du Gatwick express service de navettes ferroviaires desservant l'aéroport international de Gatwick.

It was evening of a dull[1], foggy[2] November day when, having left our bags at the Chequers, Lamberley, we drove[3] through the Sussex clay[4] of a long winding[5] lane[6] and finally reached the isolated and ancient farmhouse in which Ferguson dwelt. It was a large, straggling[7] building, very old in the centre, very new at the wings[8] with towering Tudor chimneys[9] and a lichen-spotted, high-pitched[10] roof of Horsham slabs[11]. The doorsteps[12] were worn[13] into curves, and the ancient tiles which lined[14] the porch were marked with the rebus of a cheese and a man after the original builder. Within, the ceilings were corrugated[15] with heavy oaken beams[16], and the uneven[17] floors sagged[18] into sharp curves. An odour of age and decay[19] pervaded[20] the whole crumbling building.

There was one very large central room into which Ferguson led us. Here, in a huge old-fashioned fireplace with an iron screen behind it dated 1670, there blazed and spluttered[21] a splendid log fire.

The room, as I gazed round, was a most singular mixture of dates and of places. The half-panelled walls may well have belonged to the original yeoman[22] farmer of the seventeenth century. They were ornamented, however, on the lower part by a line of well-chosen modern water-colours,

---

1. **dull** : 1. (ici) *sombre, maussade*. 2. *terne, fade*. 3. *peu intelligent(e)*. 4. *assommant(e), ennuyeux (euse)*. 5. (son) *sourd*.

2. **foggy** : 1. (ici) *brumeux (euse)*. 2. (photo) *voilé(e)*.

3. **drove** : prétérit du verbe irrégulier **to drive, drove, driven**, 1. (ici) *conduire ; piloter*. 2. *pousser*. 3. *inciter*. 4. *percer, creuser*. 5. (machine) *faire fonctionner*. 6. (gibier) *rabattre*.

4. **clay** : 1. (ici) *argileux ; argile*. 2. *glaise*.

5. **winding** : part. présent de **to wind** ; (ici) *faire des zigzags*. ▶ Voir note 14, p. 33.

6. **lane** : 1. (ici) *chemin ; voie*. 2. *ruelle*. 3. (course) *couloir*.

7. **straggling** (ou **straggly**) : *tout en longueur*.

8. **wings** : *ailes* 1. (ici) *bâtiment*. 2. oiseau. 3. avion. 4. véhicule. 5. architecture. 6. politique. 7. moulin. 8. sport.

9. **Tudor** : la **famille Tudor** est à l'origine d'une dynastie royale qui a donné son nom à la période de l'histoire anglaise située entre 1485 et 1603.

10. **pitched** : *en pente*, d'ou ici *un toit très en pente*.

C'était une soirée sombre et brumeuse de novembre, quand après avoir laissé nos bagages aux Chequers, Lamberley, nous conduisîmes à travers le Sussex argileux par un chemin en zig-zag, et finalement arrivâmes à une ancienne ferme isolée où Ferguson habitait. C'était un grand bâtiment tout en longueur, très ancien en son centre, avec des ailes très récentes, surmontées par des cheminées Tudor et un toit très en pente en plaques de Horsham tachetées de lichen. Les marches du seuil de la porte étaient arrondies par l'usure, et les anciennes tuiles qui garnissaient le porche portaient le dessin d'un homme et d'un fromage formant un rébus donnant le nom du premier constructeur. À l'intérieur, les plafonds portaient un alignement de lourdes poutres de chêne, et les parquets inégaux s'affaissaient en courbes prononcées. Une odeur de vieux et de délabrement imprégnait tout le bâtiment qui tombait en ruine.

Il y avait une très grande pièce centrale, où Ferguson nous conduisit. Là, dans une immense cheminée vieillotte avec au fond une plaque de fer datant de 1670, brûlait et crépitait un splendide feu de bois.

La pièce, alors que je la passais en revue, était un singulier mélange d'époques et de lieux. Les murs à demi lambrissés pouvaient bien avoir appartenu à un propriétaire fermier du XVIIᵉ siècle. Ils étaient cependant ornés, dans la moitié inférieure, d'une rangée d'aquarelles modernes bien choisies,

---

11. **slab** : 1. (ici) *plaque*. 2. *dalle*. 3. *bloc*. 4. *grosse part de gâteau* ; *gros morceau* (pain, chocolat). 5. (UK) *table d'opération* ; *table d'autopsie*.

12. **doorsteps** : *marches du seuil de la porte*.

13. **were worn into curves** : m. à m. *étaient usées en courbe*, donc rendu par *étaient arrondies par l'usure*. ▶ **to wear, wore, worn**.

14. **to line** : 1. (ici) *garnir* ; *tapisser*. 2. *border* (route). 3. *doubler* (habit).

15. **corrugated** : m. à m. *ondulé*, rendu ici par *alignement*.

16. **beam** : 1. (ici) *poutre*. 2. *rayon* (laser, lumière). 3. *sourire radieux*.

17. **uneven** : 1. (ici) *inégal(e)*. 2. *irrégulier (ère)* ; *accidenté(e)*. 3. *impair*.

18. **to sag** : 1. (ici) *s'affaisser*. 2. *vaciller*, *défaillir*.

19. **decay** : 1. (ici) *délabrement*. 2. *décompostion*. 3. *déclin*. 4. *carie*.

20. **to pervade** : 1. (ici) *imprégner*. 2. *se répandre* 3. *envahir*.

21. **to splutter** : 1. (ici) *crépiter*. 2. *bredouiller*.

22. **yeoman** : 1. (ici) *propriétaire fermier*. 2. (US) *secrétaire militaire*.
▶ **Yeoman of the Guard**, *hallebardier de la garde royale britannique*.

while above, where yellow plaster took the place of oak, there was hung[1] a fine collection of South American utensils and weapons[2] which had been brought, no doubt, by the Peruvian lady upstairs. Holmes rose[3], with that quick curiosity which sprang[4] from his eager[5] mind, and examined them with some care[6]. He returned with his eyes full of thought.

"Hullo!" he cried. "Hullo!"

A spaniel had lain[7] in a basket in the corner. It came slowly forward towards its master, walking with difficulty. Its hind legs[8] moved irregularly and its tail[9] was on the ground. It licked[10] Ferguson's hand.

"What is it, Mr. Holmes?"

"The dog. What's the matter with it?"

"That's what puzzled[11] the vet.[12] A sort of paralysis. Spinal meningitis, he thought. But it is passing. He'll be all right soon – won't you, Carlo?"

A shiver[13] of assent[14] passed through the drooping[15] tail. The dog's mournful[16] eyes passed from one of us to the other. He knew that we were discussing his case.

"Did it come on suddenly?"

"In a single[17] night."

"How long ago?"

---

1. **hung** : p. passé du verbe irrégulier **to hang, hung, hung**, 1. (ici) *accrocher* ; *suspendre*. 2. *fixer* ; *poser* ; *coller*. 3. *être en suspens*. 4. (pendaison) *pendre*.

2. **weapons** : 1. *armes*. 2. *armement*.

3. **rose** : prétérit du verbe irrégulier **to rise, rose, risen**, 1. (ici) *se lever*. 2. *monter*. 3. *augmenter*.

4. **sprang** : prétérit du verbe irrégulier **to spring, sprang, sprung**, 1. (ici) *émaner* ; *jaillir*. 2. *bondir* , *rebondir* ; *sauter*. 3. *provenir* ; *venir*. 4. *déclencher*. 5. *lever* (chasse) 6. *surgir*.

5. **eager** : 1. (ici) *dynamique* ; *enthousiaste*. 2. *impatient(e)*. 3. *fervent(e)* ; *passionné(e)*.

6. **care** : 1. (ici) *attention* ; *soin*. 2. *ennui* 3. *charge* ; *garde*.

7. **lay** : prétérit du verbe irrégulier **to lie, lay, lain**, 1. (ici) *être étendu, être couché* ;. 2. *se tenir, se trouver*.

8. **hind legs** : *pattes arrière* ; **hind** : 1. *arrière* ; *de derrière*. 2. *biche*. 3. *croupe*.

tandis qu'au-dessus, où du plâtre jaune remplaçait le chêne, était accrochée une belle collection d'ustensiles et d'armes d'Amérique du Sud, qui avaient, sans doute, été rapportés par la dame péruvienne, logée à l'étage. Holmes se leva, avec cette vive curiosité qui émanait de son esprit dynamique, et les examina avec une certaine attention. Il se retourna, les yeux pleins de pensées.

— Tiens ! s'écria-t-il. Tiens !

Un épagneul était couché dans un panier dans un coin. Il avança lentement vers son maître. Ses pattes arrière se mouvaient irrégulièrement, et sa queue traînait sur le sol. Il lécha la main de Ferguson.

— Qu'y a-t-il, monsieur Holmes ?

— Le chien. Quel est son problème ?

— C'est ce qui a intrigué le vétérinaire. Une sorte de paralysie. Une méningite cérébrospinale, pense-t-il. Mais c'est en train de disparaître. Il ira bientôt mieux – n'est-ce pas, Carlo ?

Un frémissement approbateur passa le long de la queue traînante. Les yeux mélancoliques du chien nous regardaient l'un après l'autre. Il savait que nous discutions de son cas.

— Est-ce arrivé soudainement ?

— En une seule nuit.

— Il y a combien de temps ?

---

9. **tail** : 1. (ici) *queue*. 2. (pièce) *côté pile*. 3. (chemise) *pan*.

10. **to lick** : 1. (ici) *lécher*. 2. *humecter* (timbre). 3. (fam. sport) *battre à plate couture, mettre une raclée*.

11. **to puzzle** : 1. (ici) *intriguer, laisser perplexe ; déconcerter*. 2. *se poser des questions ; réfléchir ; se creuser la tête*.

12. **vet** : 1. (ici) abréviation de **veterinary**, *vétérinaire*. 2. (US) abréviation de **veteran**, *ancien combattant, vétéran*.

13. **shiver** : 1. (ici) *frémissement ; frisson*. 2. *éclat*.

14. **assent** : *approbation ; assentiment ; consentement*. 2. *aval*.

15. **to droop** : 1. (ici) *traîner ; pendre*. 2. *pencher ; s'abaisser ; s'affaisser*.

16. **mournful** : 1. (ici) *mélancolique ; triste*. 2. (voix) *lugubre*.

17. **single** : adj. 1. (ici) *seul(e) ; unique*. 2. *individuel(le), particulier (ère)*. 3. *simple ; particulier (ère)* ; nom : 1. *célibataire*. 2. *chambre individuelle*. 3. (disque) *45 tours*.

"It may have been four months ago."

Very remarkable. Very suggestive."

"What do you see in it, Mr. Holmes?"

"A confirmation of what I had already thought."

"For God's sake[1], what do you think, Mr. Holmes? It may be a mere[2] intellectual puzzle[3] to you, but it is life and death to me! My wife a would-be[4] murderer – my child in constant danger! Don't play[5] with me, Mr. Holmes. It is too terribly serious."

The big Rugby three-quarter was trembling all over[6]. Holmes put his hand soothingly[7] upon his arm.

"I fear that there is pain[8] for you, Mr. Ferguson, whatever[9] the solution may be," said he. "I would spare[10] you all I can. I cannot say more for the instant, but before I leave this house I hope I may have something definite[11]."

"Please God you may! If you will excuse me, gentlemen, I will go up[12] to my wife's room and see if there has been any change."

He was away[13] some minutes, during which Holmes resumed[14] his examination of the curiosities upon the wall. When our host returned it was clear from his downcast[15] face that he had made no progress. He brought with him a tall, slim[16], brown-faced girl.

---

1. **sake** : *le bien, l'amour*, employé dans l'expression **for God's sake**, *pour l'amour de Dieu*.

2. **mere** : 1. (ici, adj.) *simple, seul(e), pur*. 2. nom. *petit lac, étang*.

3. **puzzle** : 1. (ici) *jeu de patience* ; *casse-tête* ; *devinette*. 2. *énigme*. 3. *perplexité*.

4. **a would-be** : adj. *potentiel(le)* ; *aspirant(e)* ; *éventuel(le)*.

5. **to play** : 1. (ici) *jouer*. 2. (match) *disputer* ;

6. **all over** : *partout* ; *de tout son corps*.

7. **soothingly** : adv. *d'une manière apaisante, rassurante, tranquillisante* ; l'adverbe est rendu ici par l'adjectif *rassurante*.

8. **pain** : 1. (ici) *douleur* ; *peine* ; *souffrance*. 2. *enquiquineur (euse)*.

9. **whatever** : 1. (ici) *quel(le) que soit*. 2. *tout ce que*. 3. *quoi que*. 4. *tout* ; *n'importe quoi*.

— Cela doit faire quatre mois.

— Très remarquable. Très évocateur.

— Qu'y voyez-vous, monsieur Holmes ?

— Une confirmation de ce que je pensais déjà.

— Pour l'amour de Dieu, que pensez-vous, monsieur Holmes ? Ce n'est peut-être pour vous qu'un simple casse-tête, mais pour moi c'est une question de vie ou de mort ! Ma femme une meurtrière potentielle, mon enfant constamment en danger ! Ne jouez pas avec moi, monsieur Holmes. C'est trop terriblement sérieux.

Le grand trois-quarts de rugby tremblait de tout son corps. Holmes posa une main apaisante sur son bras.

— Je crains qu'il n'y ait de la souffrance pour vous, monsieur Ferguson, quelle que soit la solution, dit-il. Je vous épargnerai tout ce que je peux. Je ne peux pas en dire plus pour l'instant, mais avant de quitter cette maison j'espère que je pourrai avoir quelque chose de certain.

— Plaise à Dieu que vous puissiez ! Si vous voulez m'excuser, messieurs, je vais monter dans la chambre de ma femme et voir s'il y a un quelconque changement.

Il fut absent quelques minutes, pendant lesquelles Holmes reprit son examen des curiosités sur le mur. Quand notre hôte revint, il était clair à son visage abattu, qu'il n'avait fait aucun progrès. Il amena avec lui, une grande fille mince, au visage brun.

---

10. **to spare** : 1. (ici, personne) *épargner*. 2. *économiser, épargner, mettre de côté*. 3. (temps) *ménager* ; **he has no time to spare**, *il n'a pas de temps à perdre*.

11. **definite** : 1. (ici) *certain(e), sur*. 2. *précis(e)* ; *net(te)* ; *formell(e)* ; *fixe*.

12. **to go up** : 1. (ici) *monter*. 2. (prix) *augmenter*. 3. *s'élever*. 4. *sauter, exploser*.

13. **to be away** : 1. (ici) *être absent* ; *s'absenter*. 2. *être éloigné*.

14. **to resume** : 1. (ici) *reprendre* (après une pause). 2. *recommencer*. 3. *retrouver, reprendre* (sa place, son siège).

15. **downcast** : 1. (ici) *abattu(e)* ; *démoralisé*. 2. (yeux) *baissé*.

16. **slim** : 1. (ici) *mince, svelte*. 2. (chance) *faible, minime*. 3. (prétexte) *mince, dérisoire*.

"The tea is ready, Dolores," said Ferguson. "See[1] that your mistress has everything she can wish."

"She verra ill[2]," cried the girl, looking with indignant eyes at her master. "She no ask for food[3]. She verra ill. She need doctor. I frightened stay alone[4] with her without doctor."

Ferguson looked at me with a question in his eyes.

"I should be so glad if I could be of use."

"Would your mistress see Dr. Watson?"

"I take him[5]. I no ask leave[6]. She needs doctor[7]."

"Then I'll come with you at once."

I followed the girl, who was quivering[8] with strong emotion, up the staircase and down an ancient corridor. At the end was an iron-clamped[9] and massive door. It struck me as I looked at it that if Ferguson tried to force his way to his wife[10] he would find it no easy matter[11]. The girl drew[12] a key from her pocket, and the heavy oaken planks[13] creaked[14] upon their old hinges[15]. I passed in and she swiftly followed, fastening[16] the door behind her.

On the bed a woman was lying who was clearly in a high fever[17]. She was only half conscious, but as I entered she raised[18] a pair of frightened but beautiful eyes and glared[19] at me in apprehension. Seeing a stranger, she appeared to be relieved[20] and sank back with a sigh upon the pillow.

---

1. **to see** : 1. (ici) *veiller à, s'assurer.* 2. *voir* ; *recevoir* ; *comprendre* ; *s'imaginer* ; *connaître.*

2. **she verra ill** = she is very ill ; dans ce passage, on a la transcription du parler de Dolores.

3. **she no ask for food** : she doesn't ask for food.

4. **I frightened stay alone** : I am frightened to stay alone.

5. **I take him** : I'll take him upstairs.

6. **I no ask leave** : I don't ask for permission.

7. **She need doctor** : she needs a doctor.

8. **to quiver** : 1. (ici) *trembler.* 2. *frémir* ; *trembler* ; *vaciller.*

9. **to clamp** : 1. (ici) *clouter* ; *cramponner.* 2. *fixer, serrer.* 3. *imposer* (restrictions). 4. *mettre un sabot* (véhicule).

10. **to force his way to his wife** : 1. (ici) *entrer en force.* 2. *imposer son point de vue.*

11. **no easy matter** : m. à m. *pas facile affaire* rendu par *il n'aurait pas la tâche facile.*

— Le thé est prêt, Dolores, dit Ferguson. Veillez à ce que votre maîtresse ait tout ce qu'elle peut désirer.

— Elle très malade, s'écria la fille, regardant son maître avec des yeux indignés. Elle pas demander manger. Elle très malade. Elle besoin docteur. Moi peur rester seule avec elle sans docteur.

Ferguson me regarda avec une question dans le regard.

— Je serai si heureux de me rendre utile.

— Votre maîtresse verrait-elle le docteur Watson ?

— Moi monter lui. Moi pas demander permission. Elle besoin docteur.

— Alors je monte avec vous tout de suite.

Je suivis la fille, qui tremblait avec une forte émotion, en montant l'escalier puis en bas d'un vieux couloir. Au bout se trouvait une porte massive cloutée de fer. Je fus frappé, tout en la regardant, que si Ferguson essayait d'entrer en force chez sa femme, ce ne serait pas facile. La femme tira une clé de sa poche, et les lourds panneaux de chêne craquèrent sur leurs vieux gonds. Je passai et elle me suivit rapidement, fermant la porte derrière elle.

Sur le lit était étendue une femme qui avait visiblement une forte fièvre. Elle n'était qu'à demi consciente, mais quand j'entrai elle leva deux yeux effrayés mais merveilleux, et me fixa avec appréhension. Voyant un étranger, elle parut soulagée et retomba sur l'oreiller avec un soupir.

---

12. **drew** : prétérit du verbe irrégulier **to draw, drew, drawn**, 1. (ici) *tirer*. 2. *dessiner*.

13. **plank** : 1. (ici) *panneau*. 2. *planche*.

14. **to creak** : 1. (ici) *craquer*. 2. *grincer* ; *crisser*.

15. **hinge** : 1. (ici) *gond* ; *charnière*. 2. *articulation*.

16. **fastening** : part. présent du verbe **to fasten** : 1. (ici) *fermer*. 2. *attacher*. 3. *attribuer* ; *imputer*.

17. **fever** ['fi:vəʳ].

18. **to raise** : 1. (ici) *lever*. 2. *augmenter*. 3. *réunir, trouver, obtenir*. 4. *provoquer* (réaction). 5. *élever* (enfant).

19. **to glare** : 1. (ici) *fixer avec colère*. 3. *briller fortement*.

20. **relieved** [rɪˈliːvd] : 1. (ici) *soulagé(e)*. 2. (ennui) *dissipé(e)*. 3. *débarrassé(e)*. 4. *secouru(e)*. 5. (ville) *libéré(e)*.

I stepped up[1] to her with a few reassuring[2] words, and she lay[3] still[4] while I took her pulse[5] and temperature. Both were high, and yet[6] my impression was that the condition was rather[7] that of mental and nervous excitement[8] than of any actual[9] seizure[10].

"She lie like that[11] one day, two day. I 'fraid she die[12]," said the girl.

The woman turned her flushed[13] and handsome face towards me.

"Where is my husband?"

"He is below and would wish to see you."

"I will not see him. I will not see him." Then she seemed to wander off[14] into delirium[15]. "A fiend[16]! A fiend! Oh, what shall I do with this devil[17]?"

"Can I help you in any way?"

"No. No one can help. It is finished. All is destroyed. Do what I will, all is destroyed."

The woman must have some strange delusion[18]. I could not see honest Bob Ferguson in the character of fiend or devil.

"Madame," I said, "your husband loves you dearly. He is deeply grieved[19] at this happening."

Again she turned on me those glorious[20] eyes.

---

1. **to step up to** : *faire un pas vers, marcher vers.*

2. **to reassure** : 1. (ici) *rassurer.* 2. *assurer.*

3. **lay** : prétérit du verbe irrégulier **to lie, lay, lain,** *être couché(e), étendu, reposé ; être posé.* ▶ Ne pas confondre avec **to lay, laid, laid,** *poser, mettre.*

4. **still** : 1. (ici) adj. *immobile.* 2. adv. *encore, toujours ; quand même.*

5. **pulse** : 1. (ici) *pouls.* 2. *impulsion.* 3. (moteur) *rythme régulier.* 4. *animation.* 5. *légumineuse.*

6. **yet** : 1. (ici) *pourtant.* 2. *jusqu'à présent, jusqu'ici, jusque-là ; déjà, encore, toujours.* 3. *quand même.*

7. **rather** : 1. (ici) *plutôt.* 2. *assez ; un peu.*

8. **excitement** : 1. (ici) *excitation.* 2. *animation ; enthousiasme.* 3. *agitation.*

9. **actual** : (faux ami) *réel, vrai, véritable.*

10. **seizure** ['siːʒəʳ] : 1. (ici) *crise, attaque.* 2. *arrestation, capture ; prise.*

Je fis un pas vers elle, avec quelques mots rassurants, et elle resta étendue immobile tandis que je prenais son pouls et sa température. Les deux étaient élevés, et pourtant mon impression était que sa condition était plutôt celle d'excitation mentale et nerveuse que d'une véritable crise.

— Elle comme ça un jour, deux jours. Moi peur elle mourir, dit la fille.

La femme tourna son beau visage enfiévré vers moi.

— Où est mon mari ?

— Il est en bas et désirerait vous voir.

— Je ne le verrai pas. Je ne le verrai pas.

Puis elle sembla s'égarer dans le délire.

— Un monstre ! Un monstre ! Oh, que vais-je faire avec ce démon ?

— Puis-je vous aider d'une quelconque façon ?

— Non. Personne ne peut m'aider. C'est fini. Tout est détruit. Quoi que je fasse, tout est détruit.

Cette femme doit avoir une étrange illusion. Je ne pouvais voir l'honnête Bob Ferguson dans le personnage d'un monstre ou d'un démon.

— Madame, dis-je, votre mari vous aime tendrement. Il est profondément peiné de ce qui est arrivé.

Elle tourna à nouveau vers moi ses yeux superbes.

---

11. **She lie like that** : parler de Dolores : **she has been lying like that**…

12. **I 'fraid she die** : parler de Dolores : **I am afraid that she will die**.

13. **flushed** : *empourpré* ; **to flush** : (ici) *s'empourprer, rougir* ; *jaillir* (liquide) ; **flushed with shame**, *rouge de honte*.

14. **to wander off** : 1. (ici) *s'égarer*. 2. *s'éloigner*.

15. **delirium** [dɪ'lɪrɪəm].

16. **fiend** : [fi:nd] : 1. (ici) *monstre, démon, diable*. 2. *fana, mordu*.

17. **devil** : 1. (ici) *démon*. 2. (intens.) **the devil of a character**, *un fichu caractère*.

18. **delusion** : 1. (ici) *illusion*. 2. *délire*.

19. **grieved** : 1. (ici) *peiné, affligé*. 2. *désolé, chagriné*.

20. **glorious** : *adj.* 1. (ici) *superbe, splendide, éclatant(e)*. 2. *glorieux, illustre*.

"He loves me. Yes. But do I not love him? Do I not love him even to sacrifice[1] myself rather than break[2] his dear heart? That is how I love him. And yet he could think of me – he could speak of me so."

"He is full[3] of grief[4], but he cannot understand."

"No, he cannot understand. But he should trust[5]."

"Will you not see him?" I suggested.

"No, no, I cannot forget those terrible words nor the look[6] upon his face. I will not see him. Go now. You can do nothing for me. Tell him only one thing. I want my child. I have a right[7] to my child. That is the only message[8] I can send him." She turned her face to the wall and would[9] say no more[10].

I returned to the room downstairs, where Ferguson and Holmes still sat by the fire. Ferguson listened moodily[11] to my account[12] of the interview[13].

"How can I send[14] her the child?" he said. "How do I know what strange impulse[15] might come upon her? How can I ever forget how she rose from beside it with its blood upon her lips?" He shuddered[16] at the recollection[17]. "The child is safe[18] with Mrs. Mason, and there he must remain."

A smart[19] maid, the only modern thing which we had seen in the house, had brought in some tea.

---

1. to sacrifice ['sækrɪfaɪs].

2. to break, broke, broken : 1. (ici) *briser*. 2. *casser, fracturer*. 3. *entamer*. 4. *enfoncer*. 5. *enfreindre*. 6. *rompre*.

3. full : 1. (ici) *plein*; *rempli*. 2. (fig.) *pénétré(e)*. 3. *complet (ète)*. 4. *rassasié(e), repu(e)*.

4. grief : (faux ami) *chagrin, peine*; *grief* se dit **grievance**.

5. to trust : *avoir confiance (en), faire confiance, se fier à*; **to trust that**, *être confiant que, espérer que, être convaincu que*.

6. look : 1. (ici) *expression*. 2. *regard*. 3. *coup d'œil*.

7. right : 1. (ici) *le droit*. 2. *le bien*, **to know right from wrong**, *distinguer le bien du mal*.

8. message ['mesɪdʒ] : 1. (ici) *message*. 2. *commission, course*.

9. she would say no more : ici **would** + infinitif sans **to**, **say**, est restreint à la répétition occasionnelle d'une action (et non conditionnelle) *elle ne voulut plus...*

10. no more : *ne plus*.

— Il m'aime. Mais est-ce que je ne l'aime pas moi ? Est-ce que je ne l'aime pas jusqu'à me sacrifier plutôt que de briser son cher cœur. Voilà comment je l'aime. Et pourtant il a pu penser de moi... il a pu me parler ainsi.

— Il est plein de chagrin, mais il ne peut pas comprendre.

— Non il ne peut pas comprendre. Mais il devrait avoir confiance.

— Ne voulez-vous pas le voir ? suggérai-je.

— Non, non ; je ne peux oublier ces mots terribles ni l'expression de son visage. Je ne le verrai pas. Partez maintenant. Vous ne pouvez rien pour moi. Dites-lui seulement une chose : je veux mon enfant. J'ai le droit d'avoir mon enfant. C'est le seul message que je peux lui envoyer.

Elle tourna son visage vers le mur et ne voulut plus dire un mot.

Je retournai dans la pièce du bas, où Ferguson et Holmes étaient toujours assis près du feu. Ferguson écouta d'un air morose mon récit de l'entretien.

— Comment puis-je lui envoyer l'enfant ? dit-il. Comment savoir quelle étrange impulsion pourrait lui advenir ? Comment pourrais-je jamais oublier que je l'ai vue se lever à côté de lui avec son sang sur ses lèvres ?

Il frissonna à ce souvenir.

— L'enfant est en sécurité avec Mme Maso, c'est là qu'il doit rester.

Une servante élégante, la seule figure moderne que j'aie vue dans cette maison, avait apporté du thé.

---

11. **moodily** : 1. (ici) *d'un air morose, maussade*. 2. *d'un air boudeur*.

12. **account** : 1. *récit, compte rendu*. 2. *explication*. 3. *valeur, importance*. 4. *profit*. 5. *interprétation*. 6. *compte*. 7. *appui*.

13. **interview** : 1. (ici) *entretien, entrevue*. 2. (radio, TV) *interview*.

14. **to send**, **sent**, **sent** : 1. (ici) *envoyer*. 2. *expédier*. 3. *rendre*.

15. **impulse** : 1. (ici) *impulsion, besoin, envie*. 2. *poussée*.

16. **to shudder** : 1. (ici) *frissonner, trembler, frémir*. 2. *vibrer*.

17. **recollection** [,rekə'lekʃn] : *souvenir*.

18. **safe** : *adj*. 1. (ici) *en sécurité*. 2. *sain et sauf*. 3. *sans risque, certain, sûr, avec certitude*. 4. *nom* : *coffre-fort*.

19. **smart** : 1. (ici) *élégant(e), chic*. 2. *adroit(e), habile, astucieux (euse), futé(e)*. 3. *impertinent(e)*. 4. *vif, vive*. 5. *bien envoyée (gifle)*.

As she was serving it the door opened and a youth[1] entered the room. He was a remarkable lad, pale-faced[2] and fair-haired[3], with excitable[4] light blue eyes which blazed into a sudden flame[5] of emotion and joy as they rested upon his father. He rushed[6] forward and threw his arms round his neck with the abandon[7] of a loving girl.

"Oh, daddy," he cried, "I did not know that you were due[8] yet. I should have been here to meet you. Oh, I am so glad to see you!"

Ferguson gently[9] disengaged[10] himself from the embrace[11] with some little show[12] of embarrassment.

"Dear old chap[13]," said he, patting[14] the flaxen[15] head with a very tender[16] hand. "I came early[17] because my friends, Mr. Holmes and Dr. Watson, have been persuaded to come down and spend an evening with us."

"Is that Mr. Holmes, the detective?"

"Yes."

The youth looked at us with a very penetrating[18] and, as it seemed to me, unfriendly[19] gaze[20].

"What about your other child, Mr. Ferguson?" asked Holmes. "Might we make the acquaintance[21] of the baby?"

"Ask Mrs. Mason to bring baby down," said Ferguson.

---

1. **youth** : 1. (ici) *adolescent(e)*. 2. *jeunesse*.

2. **pale-faced** : rappel, adjectif composé. Le 1er terme, **pale**, détermine le 2e, nom **face + ed**, *visage*.

3. **fair-haired** : voir note 2 : **fair**, *blond* et **hair + ed**, *cheveux blonds*.

4. **excitable** : 1. (ici) *nerveux (euse)*. 2. *irritable*.

5. **flame** : 1. (ici) 1. (ici) *flamme* (émotion). 2. *flamme* (feu).

6. **to rush** : 1. (ici) *se précipiter, se ruer, s'engouffrer*. 2. *déferler, jaillir*. 3. *expédier*. 4. *bousculer, presser*. 5. *attaquer*. 6. *transporter*.

7. **abandon** : 1. (ici) *abandon*. 2. *désinvolture ; laisser-aller*.

8. **to be due** : 1. (ici) *devoir arriver*. 2. *être payable* ; **in due course** : *en temps voulu*.

9. **gently** : *adv.* 1. (ici) *doucement, avec douceur*. 2. *avec tact, discrètement*. 3. *progressivement*.

10. **to disengage** : 1. (ici) *dégager*. 2. *déclencher* ; (auto) *débrayer*. 3. *cesser*.

11. **embrace** : 1. (ici) *étreinte ; enlacement*. 2. *accolade*.

Alors qu'elle était en train de le servir, la porte s'ouvrit et un adolescent entra dans la pièce. C'était un garçon remarquable, le visage pâle et les cheveux blonds, avec des yeux bleu clair et sensibles qui s'illuminèrent d'une soudaine flamme d'émotion et de joie quand ils se posèrent sur son père. Il se précipita en avant et jeta ses bras autour de son cou avec l'abandon d'une femme amoureuse.

— Oh, papa, s'écria-t-il, je ne savais pas que tu devais déjà arriver. J'aurais été là pour t'accueillir. Oh, je suis si heureux de te voir.

Ferguson se dégagea doucement de l'étreinte, manifestant un léger embarras.

— Cher petit bonhomme, dit-il en tapotant la tête blonde d'une main tendre. Je suis venu de bonne heure parce que mes amis, M. Holmes et le Dr Watson, ont accepté de venir passer une soirée avec nous.

— Ce M. Holmes, est-ce le détective ?

— Oui.

L'adolescent nous dévisagea avec un regard très pénétrant, et, à ce qu'il me sembla, inamical.

— Et votre autre enfant, monsieur Ferguson ? demanda Holmes. Pourrions-nous faire la connaissance du bébé ?

— Demandez à Mme Maso de descendre le bébé.

---

12. **show** : 1. (ici) *manifestation*, rendu ici par le verbe *manifester*. 2. *émission* 3. *exposition*. 4. *affaire*.

13. **chap** : 1. (ici) *gars* ; *type*. 2. *gerçure*.

14. **to pat** : 1. (ici) *tapoter*. 2. *caresser*.

15. **flaxen** : m. à. m. *de la couleur du lin*, (ici) *blond*.

16. **tender** : adj. 1. (ici) *tendre* ; *affectueux(euse)*. 2. *sensible, délicat(e)* ; *douloureux (euse)*. 3. (viande) *tendre*.

17. **early** : 1. (ici) *de bonne heure, matinal(e)*. 2. (film, peinture) *du début*. 3. *en avance*. 4. *précoce*.

18. **penetrating** : 1. (ici) *pénétrant*. 2. *perçant*.

19. **unfriendly** : *froid(e)* ; *inamical(e)*.

20. **gaze** : *regard fixe*, indique l'attention, l'admiration ou un regard prolongé.

21. **acquaintance** : 1. (ici) *connaissance*. 2. *relation* ; *connaissances*.

The boy went off with a curious, shambling[1] gait which told my surgical eyes that he was suffering from a weak[2] spine[3]. Presently[4] he returned, and behind him came a tall, gaunt[5] woman bearing in her arms a very beautiful child, dark-eyed, golden-haired, a wonderful mixture[6] of the Saxon and the Latin. Ferguson was evidently devoted to it, for he took it into his arms and fondled[7] it most tenderly.

"Fancy anyone having the heart to hurt[8] him," he muttered[9] as he glanced down at the small, angry red pucker[10] upon the cherub throat[11].

It was at this moment that I chanced[12] to glance[13] at Holmes and saw a most singular intentness in his expression. His face was as set[14] as if it had been carved[15] out of old ivory, and his eyes, which had glanced for a moment at father and child, were now fixed with eager curiosity upon something at the other side of the room. Following his gaze I could only guess[16] that he was looking out through the window at the melancholy, dripping[17] garden. It is true that a shutter[18] had half closed outside and obstructed the view, but none the less[19] it was certainly at the window that Holmes was fixing his concentrated attention. Then he smiled, and his eyes came back to the baby. On its chubby[20] neck there was this small puckered[21] mark. Without speaking, Holmes examined it with care. Finally he shook one of the dimpled[22] fists which waved in front of him.

---

1. **to shamble** : *marcher en traînant les pieds* ; **a shambling gait** : *une démarche, allure traînante.*

2. **weak** : 1. (ici) *fragile* ; *faible.* 2. (moralement) *mou, faible.* 3. (argument) *peu convaincant(e).* 4. (menton) *fuyant.*

3. **spine** : 1. (ici) *colonne vertébrale.* 2. (plante) *épine.* 3. (livre) *dos.* 4. (colline) *crête.* 5. (US) *courage.*

4. **presently** : en anglais britannique signifie ici *bientôt, dans un instant, tout de suite* ; en américain, *actuellement.*

5. **gaunt** : *maigre*, voir note 7, p. 40.

6. **mixture** : ['mɪkstʃər] : 1. (ici) *mélange.* 2. (méd.) *mixture.*

7. **to fondle** : 1. (ici) *caresser.* 2. *dorloter.*

8. **to hurt** : 1. (ici) *blesser, faire du mal* ; *faire mal.* 2. *se faire mal.* 3. *faire de la peine.* 4. *nuire.* 5. *abîmer.*

9. **to mutter** : 1. (ici) *murmurer.* 2. *marmonner* ; *grommeler.*

Le garçon sortit avec une démarche curieusement traînante, qui indiqua à mon œil de médecin qu'il souffrait d'une colonne vertébrale faible. Bientôt il revint, et derrière lui, apparut une grande femme maigre portant dans ses bras un très beau bébé, aux yeux noirs, aux cheveux dorés, un mélange merveilleux du saxon et du latin. Ferguson lui était visiblement attaché, car il le prit dans ses bras et le caressa tendrement.

— Imaginez quelqu'un ayant le cœur de le blesser, murmura-t-il, tout en regardant le vilain petit pli rouge sur la gorge du chérubin.

Ce fut à ce moment que mon regard tomba par hasard sur Holmes, et que je vis dans son expression une intensité des plus singulière. Son visage était aussi figé que s'il avait été ciselé dans du vieil ivoire, et ses yeux, qui s'étaient portés un moment sur le père et l'enfant, fixaient maintenant avec une curiosité passionnée quelque chose situé de l'autre côté de la pièce. Je ne pus, en suivant son regard, que supposer qu'il observait par la fenêtre le jardin mélancolique et détrempé. Il est vrai qu'un volet s'était à moitié refermé et cachait la vue, mais c'était néanmoins sur la fenêtre qu'Holmes fixait certainement son attention concentrée. Puis il sourit, et ses yeux revinrent sur le bébé. Sur son cou potelé, il y avait cette petite marque plissée. Sans dire un mot, Holmes l'examina avec soin. Finalement il secoua un des poings potelés qui s'agitaient devant lui.

---

10. **pucker** [ˈpʌkər] : *pli* ; **to pucker**, *plisser*.

11. **throat** : *cou* ; *gorge*.

12. **to chance** : 1. (ici) *se trouver, tomber par hasard*. 2. *hasarder, risquer*.

13. **to glance at** : 1. *jeter un coup d'œil rapide*. 2. *parcourir* ; *jeter un œil*. 3. *étinceler*.

14. **set** : *figé*, p. passé du verbe irrégulier **to set, set, set**. 1. (ici) *figer*. 2. *mettre, poser*. 3. *situer*. 4. *régler*. 5. *fixer*. 6. *placer*. 7. *déterminer*.

15. **to carve** : 1. (ici) *sculpter*. 2. *tailler*.

16. **to guess** : 1. (ici) *supposer* ; *penser*. 2. *deviner*. 3. *croire*.

17. **dripping** : 1. (ici) *détrempé*. 2. *trempé*. 3. *ruisselant*.

18. **shutter** : rappel : 1. (ici) *volet*. 2. (photo) *obturateur*.

19. **none the less** : 1. (ici) *néanmoins*. 2. *toutefois*. 3. *cependant*.

20. **chubby** : 1. (ici) *potelé(e)*. 2. *joufflu(e)*.

21. **puckered** : *plissée*.

22. **dimpled** : 1. (ici) *potelé(e)*. 2. (menton) *à fossettes*. 3. *ridé(e), ondulé(e)*.

"Good-bye, little man. You have made a strange start[1] in life. Nurse, I should wish to have a word with you in private."

He took her aside[2] and spoke earnestly for a few minutes. I only heard the last words, which were: "Your anxiety will soon, I hope, be set at rest." The woman, who seemed to be a sour[3], silent[4] kind of creature, withdrew with the child.

"What is Mrs. Mason like?" asked Holmes.

"Not very prepossessing[5] externally, as you can see, but a heart of gold, and devoted to the child."

"Do you like her, Jack?" Holmes turned suddenly upon the boy. His expressive mobile face shadowed over[6], and he shook[7] his head.

"Jacky has very strong likes and dislikes[8]," said Ferguson, putting his arm round the boy. "Luckily[9] I am one of his likes."

The boy cooed[10] and nestled[11] his head upon his father's breast[12]. Ferguson gently disengaged[13] him.

"Run away[14], little Jacky," said he, and he watched his son with loving eyes until he disappeared. "Now, Mr. Holmes," he continued when the boy was gone, "I really feel that I have brought you on a fool's errand[15] It must be an exceedingly delicate and complex affair from your point of view."

---

1. **start** : 1. (ici) *début*; *commencement*. 2. *ligne de départ*. 3. *avance*. 4. *sursaut*.

2. **aside** : 1. *à part*; *de côté*. 2. *en aparté*; **aside from**, *sauf*.

3. **sour** : 1. (ici) *revêche*; *acerbe*. 2. *aigre*; *sur*. 3. (lait) *tourné*; **to go sour**, *tourner au vinaigre*.

4. **silent** ['saɪlənt].

5. **prepossessing** : 1. *engageant(e)*, *avenant(e)*. 2. *présentable*.

6. **to shadow over** : *s'assombrir*.

7. **shook** : prétérit du verbe irrégulier **to shake, shook, shaken** : 1. (ici) *secouer*. 2. *branler*; *ébranler*. 3. *trembler*.

8. **likes and dislikes** : likes : *goûts*, dislikes : *dégoûts*; locution figée : *goûts et dégoûts*.

— Au revoir, petit homme. Tu as pris un étrange départ dans la vie. Nourrice, je souhaiterais vous dire un mot en privé.

Il la prit à part et lui parla gravement pendant quelques minutes. Je n'entendis que les derniers mots qui étaient : « Votre angoisse sera bientôt, je l'espère, apaisée. » La femme, qui semblait être une sorte de créature revêche et taciturne, se retira avec l'enfant.

— À quoi ressemble Mme Maso ?

— Pas très engageante en apparence, comme vous pouvez le voir, mais un cœur d'or, et dévouée à l'enfant.

— Jack, vous l'aimez ?

Holmes se tourna subitement vers le garçon. Son visage mobile et expressif s'assombrit, et il secoua la tête.

— Jacky aime ou déteste totalement, dit Ferguson, entourant le garçon de son bras. Par bonheur je fais partie de ceux qu'il aime.

Le garçon se mit à gazouiller et nicha sa tête contre la poitrine de son père. Ferguson se dégagea doucement.

— Sauve-toi, petit Jacky, dit-il, et il accompagna son fils d'un regard aimant jusqu'à la porte. À présent, monsieur Holmes, poursuivit-il, quand le garçon fut parti, j'ai vraiment l'impression que je vous ai fait venir en pure perte, car qu'avez-vous la possibilité de faire, sinon de m'accorder votre sympathie ? Ce doit être, de votre point de vue, une affaire particulièrement délicate et complexe.

---

9. **luckily** : *heureusement* ; *par chance.*

10. **to coo** : 1. (ici) *babiller, gazouiller.* 2. *roucouler.*

11. **to nestle** : 1. (ici) *se pelotonner, se blottir* 2. *être niché(e).*

12. **breast** : 1. (ici) *poitrine.* 2. *sein.*

13. **to disengage** : 1. (ici) *se dégager.* 2. (frein) *desserrer* 3. *désenclencher.* 4. *dégager* ; *cesser.*

14. **to run away** : 1. (ici) *se sauver* 2. *faire une fugue.*

15. **a fool's errand** : m. à m. *une course de fou*, rendu ici par *en pure perte* ; *pour rien.*

"It is certainly delicate," said my friend with an amused smile, "but I have not been struck up to now with its complexity. It has been a case for intellectual deduction, but when this original intellectual deduction is confirmed point by point by quite a number of independent incidents, then the subjective becomes objective and we can say confidently[1] that we have reached[2] our goal[3]. I had, in fact, reached it before we left Baker Street, and the rest has merely[4] been observation and confirmation."

Ferguson put his big hand to his furrowed[5] forehead[6].

"For heaven's sake[7], Holmes," he said hoarsely[8]; "if you can see the truth in this matter, do not keep me in suspense[9]. How do I stand? What shall I do? I care nothing as to how you have found your facts so long as you have really got them."

"Certainly I owe[10] you an explanation, and you shall have it. But you will permit me to handle[11] the matter in my own way? Is the lady capable of seeing us, Watson?"

"She is ill, but she is quite rational[12]."

"Very good. It is only in her presence that we can clear[13] the matter up. Let us go up to her."

"She will not see me," cried Ferguson.

"Oh, yes, she will," said Holmes. He scribbled a few lines upon a sheet of paper. "You at least have the entree, Watson. Will you have the goodness[14] to give the lady this note?"

---

1. **confidently** : 1. (ici) *avec assurance.* 2. *avec confiance.*

2. **to reach** : 1. (ici) *atteindre.* 2. *arriver à.* 3. *joindre.* 4. *toucher.* 5. *s'étendre.*

3. **goal** : 1. (ici) *objectif, but.* 2. (sport) *but.*

4. **merely** : 1. (ici) *seulement.* 2. *simplement.*

5. **furrowed** : 1. (ici) *ridé.* 2. *sillonné, plissé.*

6. **forehead** : *front.*

7. **heaven** : *paradis,* **sake,** *bien* ; **for heaven's sake,** *pour l'amour du ciel.*

8. **hoarsely** : 1. (ici) *d'une voix rauque.* 2. *enroué.*

9. **suspense** : 1. (ici) *incertitude, en haleine.* 2. (affaires) *en souffrance, en attente.*

— Elle est certainement délicate, dit mon ami avec un sourire amusé, mais jusqu'à maintenant, je n'ai pas été frappé par sa complexité. Cela a été un cas de déduction intellectuelle, mais quand cette dernière est confirmée point par point par un assez bon nombre d'incidents indépendants, alors le subjectif devient objectif et nous pouvons dire avec assurance que nous avons atteint notre objectif. Je l'avais en fait atteint avant que nous ne quittions Baker Street, et le reste a été simplement observation et confirmation.

Ferguson posa sa grosse main sur son front ridé.

— Au nom du ciel, Holmes, dit-il d'une voix rauque, si vous connaissez la vérité dans cette affaire, ne me tenez pas en haleine. Où en suis-je ? Que dois-je faire ? Je ne me soucie pas de la façon dont vous avez trouvé les faits du moment que vous les avez.

— Certainement je vous dois une explication, et vous l'aurez. Mais me permettrez-vous de gérer l'affaire à ma façon ? La dame est-elle en état de nous recevoir, Watson ?

— Elle est malade, mais elle a tous ses esprits.

— Très bien. C'est seulement en sa présence que nous pouvons éclaircir l'affaire. Montons la voir.

— Elle ne voudra pas me voir, s'écria Ferguson.

— Oh si, elle voudra, dit Holmes. (Il écrivit quelques lignes sur une feuille de papier.) Vous, au moins, avez vos entrées, Watson. Aurez-vous la bonté de donner ce mot à la dame ?

---

10. **to owe** : 1. (ici) *devoir*. 2. *avoir droit à*.

11. **to handle** : 1. (ici) *gérer, mener*. 2. *toucher* ; *manipuler*. 3. *manœuvrer* ; *gouverner*. 4. *faire face* ; *s'occuper de*. 5. *supporter*.

12. **rational** : 1. (ici) *doué(e) de raison* ; *qui a tous ses esprits*. 2. *raisonnable* ; *rationnel(le)*.

13. **to clear up** : 1. transitif : *résoudre, éclaircir* (mystère, énigme, difficulté). 2. intransitif : (météo) *s'éclaircir*. **It was overcast this morning, but now it's clearing up** : *Il faisait gris ce matin, mais là, le temps s'éclaircit*.

14. **goodness** : 1. *bonté*. 2. *bienfaisance*.

I ascended[1] again and handed[2] the note to Dolores, who cautiously[3] opened the door. A minute later I heard a cry from within[4], a cry in which joy and surprise seemed to be blended[5]. Dolores looked out.

"She will see them. She will leesten[6]," said she.

At my summons[7] Ferguson and Holmes came up. As we entered the room Ferguson took a step or two towards his wife, who had raised herself in the bed, but she held out[8] her hand to repulse[9] him. He sank into an armchair, while Holmes seated himself beside him, after bowing[10] to the lady, who looked at him with wide-eyed[11] amazement[12].

"I think we can dispense with Dolores[13]," said Holmes. "Oh, very well, madame, if you would rather she stayed, I can see no objection. Now, Mr. Ferguson, I am a busy man with many calls[14] and my methods have to be short and direct. The swiftest[15] surgery is the least painful. Let me first say what will ease[16] your mind. Your wife is a very good, a very loving, and a very ill-used[17] woman."

Ferguson sat up with a cry of joy.

"Prove that, Mr. Holmes, and I am your debtor[18] forever."

"I will do so, but in doing so I must wound you deeply in another direction."

"I care nothing so long as you clear my wife. Everything on earth is insignificant[19] compared to that."

---

1. **to ascend** : 1. (ici) *remonter* ; *monter*. 2. *faire l'ascension* (montagne).

2. **to hand** : 1. (ici) *tendre* ; *passer* ; *donner*. 2. *tenir*.

3. **cautiously** : 1. (ici) *avec précaution*. 2. *prudemment*.

4. **within** : 1. (ici) *de l'intérieur*. 2. *dans les limites de*. 3. *en moins de* ; *à moins de*. 4. *en l'espace de*.

5. **to blend** : 1. (ici) *mêler* ; *mélanger* ; *se mélanger*. 2. *fusionner*.

6. **she will leesten** : parler de Dolores = **she will listen**, *elle écoutera*.

7. **summons** : 1. (ici) *appel*. 2. *convocation*. 3. *assignation* ; *citation*. :

8. **to hold, (held, held) out** : (ici) *tendre*. 2. *tenir*. 3. *passer* ; *donner*.

9. **to repulse** : *repousser* ; n. **repulse**, *refus* ; *défaite* ; *échec*.

10. **to bow** : *s'incliner*.

Je remontai et tendis le mot à Dolores, qui ouvrit la porte avec précaution. Une minute plus tard, j'entendis de l'intérieur un cri où joie et surprise semblaient mêlées. Dolores regarda au-dehors.

— Elle va les voir. Elle écoutera, dit-elle.

À mon appel, Ferguson et Holmes montèrent. Lorsque nous entrâmes, Ferguson fit un pas ou deux vers sa femme, qui s'était redressée dans le lit, mais elle tendit la main pour le repousser. Il s'effondra dans un fauteuil, tandis que Holmes prenait place à côté de lui, après s'être incliné devant la dame, qui le regardait avec des yeux grands ouverts de stupéfaction.

— Je pense que nous pouvons nous passer de Dolores, dit Holmes.

— Oh, très bien, madame, si vous préférez qu'elle reste, je n'y vois pas d'objection. Maintenant, monsieur Ferguson, je suis un homme occupé avec de nombreuses demandes, et mes méthodes doivent être courtes et directes. La chirurgie la plus rapide est la moins pénible. En premier lieu, laissez-moi vous dire ce qui va soulager votre esprit. Votre épouse est une femme très bonne, très aimante et très mal traitée.

Ferguson se leva avec un cri de joie.

— Prouvez cela, monsieur Holmes, et je serai pour toujours votre débiteur.

— Je vais le faire, mais en faisant cela, je dois vous blesser profondément, d'un autre côté.

— Je ne m'en soucie pas, aussi longtemps que vous disculpez ma femme. Toute autre chose est insignifiante comparée à cela.

---

11. **wide-eyed** : rappel : le 1er terme, **wide**, détermine le 2e, **eye+ed** , *grands ouverts, écarquillés.*

12. **amazement** : *stupeur, stupéfaction.*

13. **to dispense with** : *se passer de.*

14. **calls** : 1. (ici) *demandes.* 2. *appels.* 3. *visites.* 4. *escales.* 5. *échéances* ; **call** ? *pile ou face ?*

15. **swift** : 1. adj. *rapide* ; *prompt(e).* 2. n. (oiseau) *martinet.*

16. **to ease** : *calmer, soulager* ; *se calmer.*

17. **ill-used** : *maltraitée* ; *mauvais traitement.*

18. **debtor** ['detər] : *débiteur (trice)* ; noter le **b** muet.

19. **insignificant** : *insignifiant(e)* ; *sans importance* ; *négligeable.*

"Let me tell you, then, the train[1] of reasoning which passed through my mind in Baker Street. The idea of a vampire[2] was to me absurd. Such things do not happen in criminal practice in England. And yet your observation was precise[3]. You had seen the lady rise from beside the child's cot with the blood upon her lips."

"I did."

"Did it not occur[4] to you that a bleeding[5] wound[6] may be sucked[7] for some other purpose than to draw the blood from it? Was there not a queen in English history who sucked such a wound to draw poison[8] from it?"

"Poison!"

"A South American household[9]. My instinct felt the presence of those weapons upon the wall before my eyes ever saw them. It might have been other poison, but that was what occurred to me. When I saw that little empty quiver[10] beside the small birdbow[11], it was just what I expected to see. If the child were pricked[12] with one of those arrows dipped[13] in curare or some other devilish drug, it would mean[14] death if the venom[15] were not sucked out.

"And the dog! If one were to use such a poison, would one not try it first in order to see that it had not lost its power? I did not foresee[16] the dog, but at least I understand him and he fitted[17] into my reconstruction.

---

1. **train** : 1. (ici) *enchaînement*. 2. *suite*; *série*. 3. *train*; *rame*; *métro*; *cortège*. 4. *amorce*; *traînée* (poudre).

2. **vampire** ['væmpaɪər].

3. **precise** [prɪ'saɪs].

4. **to occur** : 1. (ici) *venir à l'esprit*. 2. *se produire*; *avoir lieu*; *arriver*. 3. *se trouver*.

5. **to bleed** : 1. (ici) *saigner*. 2. *déteindre*. 3. (radiateur) *purger*.

6. **wound** : *blessure*.

7. **to suck** : 1. (ici) *sucer*. 2. *aspirer*; *suçoter*; (fam.) **sucks to you**, *va te faire voir*.

— Laissez-moi donc vous dire l'enchaînement du raisonnement qui m'a traversé l'esprit à Baker Street. L'idée d'un vampire me paraissait absurde. De telles choses ne se produisent pas dans la pratique criminelle en Angleterre. Et cependant votre observation était précise. Vous aviez vu la dame se relever du bord du berceau avec du sang sur les lèvres.

— C'est ça.

— Ne vous est-il pas venu à l'esprit qu'une blessure qui saignait pouvait être sucée dans un autre but que celui d'aspirer du sang ? N'y a-t-il pas eu une reine dans l'histoire anglaise, qui a sucé une telle blessure pour en retirer du poison ?

— Du poison ?

— Une maisonnée sud-américaine. Mon instinct avait senti la présence de ces armes sur le mur avant que mes yeux ne les voient. Cela aurait pu être un autre poison, mais c'est ce qui m'est venu à l'esprit. Quand j'ai vu ce petit carquois vide à côté du petit arc à oiseaux, c'était juste ce que je m'attendais à voir. Si l'enfant était piqué par une de ces flèches trempée dans du curare ou quelque autre drogue infernale, cela signifierait une mort certaine si le poison n'était pas aspiré.

— Et le chien ! Si on devait utiliser un tel poison, ne l'essayerait-on pas d'abord afin de voir qu'il n'avait pas perdu son pouvoir ? Je n'avais pas prévu le chien, mais du moins je l'ai compris et cela correspondait à ma reconstitution.

---

8. **poison** ['pɔɪzən].

9. **household** : *maisonnée*.

10. **quiver** : 1. (ici) *carquois*. 2. *tremblement, frémissement*.

11. **birdbow** : *arc à oiseaux*.

12. **to prick** : 1. (ici) *piquer*. 2. *percer ; picoter*.

13. **to dip** : 1. (ici) *tremper*. 2. *plonger*. 3. *s'incliner*. 4. *diminuer ; baisser*.

14. **to mean** : 1. (ici) *signifier*. 2. *vouloir dire*. 3. *avoir l'intention*.

15. **venom** ['venəm].

16. **to foresee** : *prévoir ; présager*.

17. **to fit** : 1. (ici) *correspondre*. 2. *équiper ; adapter*.

"Now do you understand? Your wife feared[1] such an attack. She saw it made and saved the child's life, and yet she shrank[2] from telling you all the truth, for she knew how you loved the boy and feared lest[3] it break your heart."

"Jacky!"

"I watched him as you fondled[4] the child just now. His face was clearly reflected in the glass of the window where the shutter formed a background[5]. I saw such jealousy, such cruel hatred[6], as I have seldom[7] seen in a human face."

"My Jacky!"

"You have to face it, Mr. Ferguson. It is the more painful because it is a distorted[8] love, a maniacal exaggerated love for you, and possibly for his dead mother, which has prompted[9] his action. His very[10] soul[11] is consumed[12] with hatred for this splendid child, whose health and beauty are a contrast to his own weakness[13]."

"Good God! It is incredible[14]!"

"Have I spoken the truth, madame?"

The lady was sobbing[15], with her face buried[16] in the pillows. Now she turned to her husband.

"How could I tell you, Bob? I felt the blow[17] it would be to you. It was better that I should wait and that it should come from some other lips than mine. When this gentleman, who seems to have powers of magic, wrote that he knew all, I was glad."

---

1. **to fear** : 1. (ici) *craindre.* 2. *regretter.* 3. (Dieu) *révérer.*

2. **shrank** : rappel : prétérit du verbe irrégulier **to shrink, shrank, shrunk** 1. (ici) *répugner à* ; *reculer.* 2. *se dérober.* 3. *rétrécir* ; *réduire.*

3. **lest** : *de peur que, de crainte.*

4. **to fondle** : *caresser.*

5. **background** : 1. (ici) *arrière-plan* ; *fond.* 2. *antécédent* ; *formation.* 3. *contexte.*

6. **hatred** : *haine.*

7. **seldom** : *rarement.*

8. **distorted** : 1. (ici) *dénaturé(e)* ; *faussé(e).* 2. (membre) *déformé.*

— Maintenant, vous comprenez ? Votre femme craignait une telle attaque. Elle y a assisté et sauvé la vie de l'enfant, et cependant elle répugnait à vous dire toute la vérité, car elle savait à quel point vous aimiez le garçon et craignait que cela ne vous brise le cœur.

— Jacky !

— Je l'ai observé pendant que vous caressiez le bébé juste maintenant. Son visage se reflétait nettement dans le carreau de la fenêtre, où le volet forme un arrière-plan sombre. J'ai vu une telle jalousie, une si cruelle haine, comme j'en ai rarement vu sur une figure humaine.

— Mon Jacky !

— Vous devez y faire face, monsieur Ferguson. C'est d'autant plus douloureux que c'est un amour dénaturé, un amour excessif et maniaque pour vous, et peut-être pour sa défunte mère, qui a provoqué son action. Son âme même est dévorée par la haine qu'il voue à ce superbe bébé, dont la santé et la beauté contrastent avec sa propre faiblesse.

— Bon Dieu ! C'est incroyable !

— Ai-je dit la vérité, madame ?

La dame sanglotait, le visage enfoui dans les oreillers. Elle se tourna vers son mari.

— Comment pouvais-je vous le dire, Bob ? Je sentais le choc que ce serait pour vous. C'était mieux que j'attende et que cela vienne d'autres lèvres que les miennes. Quand ce gentleman, qui semble avoir des pouvoirs magiques, a écrit qu'il savait tout, j'ai été heureuse.

---

9. **to prompt** : 1. (ici) *pousser* ; *inciter*. 2. (théâtre) *souffler*.

10. **very** : 1. (ici, adj.) *même*. 2. adv. *très*.

11. **soul** : 1. (ici) *âme*. 2. *modèle*. 3. *personne*. 4. *soul musique*.

12. **consumed** : 1. (ici) *dévoré(e), miné(e)*. 2. *brûlé(e)*.

13. **weakness** : *faiblesse* ; *point faible* ; *fragilité*.

14. **incredible** [ɪn'kredɪbl].

15. **to sob** : *sangloter*.

16. **pillow** : 1. (ici) *oreiller*. 2. (US) *coussin*. 3. *carreau* (dentellière).

17. **blow** : 1. (ici) *choc* ; *coup*. 2. *malheur*. 3. *coup de vent, bourrasque*.

"I think a year at sea would be my prescription[1] for Master Jacky," said Holmes, rising from his chair. "Only one thing is still clouded[2], madame. We can quite understand your attacks upon Master Jacky. There is a limit to a mother's patience. But how did you dare[3] to leave[4] the child these last two days?"

"I had told Mrs. Mason. She knew."

"Exactly. So I imagined."

Ferguson was standing[5] by the bed, choking[6], his hands outstretched[7] and quivering[8].

"This, I fancy[9], is the time for our exit[10], Watson," said Holmes in a whisper[11]. "If you will take one elbow[12] of the too faithful[13] Dolores, I will take the other. There, now," he added as he closed the door behind him, "I think we may leave them to settle[14] the rest among themselves."

I have only one further[15] note of this case. It is the letter which Holmes wrote in final answer to that with which the narrative[16] begins. It ran thus:

---

1. **prescription** : 1. (ici) *prescription*. 2. *ordonnance*. 2. *médicament*.

2. **clouded** : 1. (ici) *peu clair*. 2. *sombre*. 3. *attristé(e)*. 4. *altéré(e)* ; *terni(e)*.

3. **dare** : *oser*, verbe souvent, comme **need**, employé comme défectif, mais pas ici, donc **did** pour construire la forme interrogative et suivi d'un verbe avec **to**.

4. **to leave, left, left** : 1. (ici) *laisser*. 2. *quitter* ; *partir*. 3. *oublier*. 4. *confier*.

5. **to stand, stood, stood** : *être debout*.

6. **to choke** : 1. (ici) *s'étouffer*. 2. *étouffer*. 3. *étrangler*. 4. *boucher*.

7. **outstretched** : 1. (ici) *tendu(e)*. 2. *étendu(e)* ; *allongé(e)* ; *déployé(e)*.

8. **quivering** : *tremblant(e)* ; *frissonnant(e)*.

9. **I fancy** : *je crois*, rappel **to fancy**, voir note 16, p. 27.

— Je pense qu'une année en mer serait ma prescription pour Maître Jacky, dit Holmes en se levant de sa chaise. Une seule chose reste peu claire pour moi, madame. Nous pouvons tout à fait comprendre vos attaques sur Maître Jacky. Il y a une limite à la patience d'une mère. Mais comment avez-vous osé laisser l'enfant ces deux derniers jours ?

— Je l'avais dit à Mme Maso. Elle savait.

— Exactement. Je l'avais imaginé ainsi.

Ferguson se tenait debout près du lit, s'étouffant, les mains tendues et tremblantes.

— C'est le moment je crois, Watson, où il est temps de nous retirer, dit Holmes dans un murmure. Si vous preniez la trop fidèle Dolores par un coude, je prendrais l'autre. Là, maintenant, ajouta-t-il, tout en refermant la porte derrière lui, je pense que nous pouvons les laisser régler le reste entre eux.

Je n'ai qu'une note de plus sur cette affaire. C'est la lettre qu'Holmes écrivit en guise de réponse finale à celle avec laquelle ce récit commence. Elle disait ceci :

10. **time for our exit** : m. à m. *temps pour notre sortie*, rendu ici par *c'est le moment de nous retirer.*

11. **said Holmes in a whisper** : m. à m. *dit Holmes dans un murmure*, rendu par *murmura Holmes.*

12. **elbow** : *coude.*

13. **faithful** : 1. (ici) *fidèle.* 2. *solide ; sérieux (euse).* 3. *conforme.*

14. **to settle** : 1. (ici) *régler.* 2. *régler ; payer.* 3. *s'installer, se ranger.* 4. *se calmer.*

15. **further** : 1. (ici) *de plus ; supplémentaire.* 2. *d'avantage.* 3. *plus loin.* 4. *plus avant.*

16. **narrative** : *récit ; narration.*

BAKER STREET,
Nov. 21st.

*Re* Vampires

SIR:

Referring[1] to your letter of the 19th, I beg to state[2] that I have looked into the inquiry of your client, Mr. Robert Ferguson, of Ferguson and Muirhead, tea brokers, of Mincing Lane, and that the matter has been brought[3] to a satisfactory conclusion. With thanks for your recommendation,

I am, sir,
Faithfully[4] yours,
SHERLOCK HOLMES.

---

1. **Referring** : *suite à* ; *en réponse à*.

2. **to state** : 1. (ici) *noter*. 2. *déclarer* ; *énoncer*. 3. *indiquer*.

3. **brought to** : prétérit du verbe irrégulier **to bring, brought, brought**, 1. (ici) *amener*. 2. *entraîner*. 3. *provoquer, causer*. 4. *mener, conduire*. 5. *intenter* (action). 6. *rapporter* (finance).

*Objet : Vampires*

*Monsieur,*
*En réponse à votre lettre du 19, je vous prie de noter que j'ai exa-miné la requête de votre client, M. Robert Ferguson, de Ferguson & Muirhead, négociants en thé de Mincing Lane, et que l'affaire a été amenée à une conclusion satisfaisante. Avec mes remerciements pour votre recommandation.*

*Je suis, Monsieur, fidèlement vôtre,*
*SHERLOCK HOLMES*

---

4. **faithfully** : *fidèlement*; correspond, en plus concis, à la formule française : *veuillez agréer mes salutations distinguées.*

# The Adventure of the Dying Detective

## *Le Détective agonisant*

Mrs. Hudson, the landlady[1] of Sherlock Holmes, was a long-suffering[2] woman. Not only was her first-floor[3] flat invaded at all hours by throngs[4] of singular and often undesirable characters but her remarkable lodger[5] showed an eccentricity and irregularity[6] in his life which must have sorely[7] tried her patience. His incredible untidiness[8], his addiction[9] to music at strange hours, his occasional revolver practice within doors, his weird[10] and often malodorous scientific experiments, and the atmosphere of violence and danger which hung around him made him the very worst tenant[11] in London. On the other hand, his payments were princely. I have no doubt that the house might have been purchased[12] at the price which Holmes paid for his rooms during the years that I was with him.

The landlady stood in the deepest[13] awe[14] of him and never dared to interfere with him, however outrageous[15] his proceedings[16] might seem. She was fond of him, too, for he had a remarkable gentleness and courtesy in his dealings[17] with women. He disliked and distrusted the sex, but he was always a chivalrous opponent. Knowing how genuine[18] was her regard[19] for him, I listened earnestly to her story when she came to my rooms in the second year of my married life and told me of the sad condition to which my poor friend was reduced.

"He's dying, Dr. Watson," said she.

---

1. **landlady** : 1. (ici) *logeuse*. 2. *propriétaire*. 3. (pub) *patronne*.

2. **long-suffering** : *extrêmement patiente* ; *d'une patience à toute épreuve*.

3. **first floor** : 1. (ici, GB) *premier étage*. 2. (US) *rez-de-chaussée*.

4. **throngs** : *foule* ; *multitude*.

5. **lodger** : *pensionnaire* ; *locataire*.

6. **irregularity** : *singularité*.

7. **sorely** : 1. (ici) *gravement*. 2. *cruellement*. 3. *grandement*.

8. **untidiness** : 1. (ici) *désordre* ; *manque d'ordre*. 2. *manque de soin*. 3. *débraillé*.

9. **addiction** : 1. (ici) *dépendance*. 2. *penchant* ; *forte inclination*.

10. **weird** : *étrange, curieux, bizarre*.

11. **tenant** : *locataire* ; **tenant farmer**, *métayer*.

12. **to purchase** : *acheter* ; **a purchase** : 1. *un achat*. 2. (escalade) *prise*.

13. **deepest** : *plus profonde*, superlatif de **deep** : 1. (ici) *profond*. 2. (note) *grave*.

Mme Hudson, la logeuse de Sherlock Holmes, était une femme capable de subir des difficultés avec patience. Non seulement son appartement au premier étage était envahi à toute heure par des foules de personnages bizarres et souvent sinistres, mais son pensionnaire marquant faisait preuve dans sa vie d'une excentricité et d'une singularité qui avaient dû gravement éprouver sa patience. Son incroyable désordre, sa dépendance à la musique à des heures bizarres, sa pratique à l'occasion du tir au revolver dans sa chambre, ses étranges expériences scientifiques souvent malodorantes, et l'atmosphère de violence et de danger qui traînait autour de lui, faisait de lui le pire locataire de Londres. En revanche, il payait de manière princière. Je ne doute pas que la maison aurait pu être achetée pour le prix qu'Holmes paya pour son appartement durant les années où je vécus avec lui.

La logeuse éprouvait pour lui la plus profonde crainte, et n'osait jamais se mêler des affaires d'Holmes, si extravagantes que puissent paraître ses manières d'agir. Elle avait de l'affection pour lui, aussi, car il avait, dans ses relations avec les femmes, une courtoisie et une gentillesse remarquables. Il n'appréciait pas l'autre sexe et ne lui faisait pas confiance, mais il était toujours un opposant chevaleresque. Connaissant à quel point authentique était sa considération pour lui, j'écoutai avec attention son histoire quand elle vint dans mon chez-moi lors de la deuxième année de mon mariage, et m'exposa la triste condition dans laquelle mon pauvre ami était réduit.

— Il est en train de mourir, docteur Watson, dit-elle.

---

14. **awe** : *crainte*; *effroi*; **in awe**, *intimidé*.

15. **outrageous** : 1. (ici) *extravagant(e)*. 2. *scandaleux (euse)*; *monstrueux (se)*; *atroce*. 3. *choquant(e)*; *outrageant(e)*.

16. **proceedings** : 1. (ici) *manières d'agir*. 2. *événement*. 3. *réunion*; *séance*. 4. *compte rendu*; *procès-verbal*. 5. *action en justice*.

17. **dealings** : 1. (ici) *relations*. 2. *opérations*; *transactions*. 3. (cartes) *donne*; *distribution*. 4. (drogue) *trafic*.

18. **genuine** : 1. (ici) *authentique*; *véritable, vrai(e)*. 2. *sincère, naturel(le)*, *franc, franche*. 3. *de bonne foi*. 4. *sérieux (euse)*.

19. **regard** : 1. *considération*; *attention*. 2. *souci*; *respect*. 3. *estime*. 4. **in this regard**, *à cet égard*. 5. (yeux) *regard*.

"For three days he has been sinking[1], and I doubt if he will last[2] the day. He would not let me get a doctor. This morning when I saw his bones[3] sticking out[4] of his face and his great bright eyes looking at me I could stand[5] no more of it. 'With your leave[6] or without it, Mr. Holmes, I am going for a doctor this very hour,' said I.

'Let it be Watson, then,' said he. I wouldn't waste[7] an hour in coming to him, sir, or you may not see him alive[8]."

I was horrified for I had heard nothing of his illness. I need not say that[9] I rushed[10] for my coat and my hat. As we drove back I asked for the details.

"There is little I can tell you, sir. He has been working at a case down at Rotherhithe[11], in an alley[12] near the river, and he has brought this illness back with him. He took to his bed[13] on Wednesday afternoon and has never moved since. For these three days neither food nor drink has passed his lips."

"Good God! Why did you not call in[14] a doctor?"

"He wouldn't have it, sir. You know how masterful[15] he is. I didn't dare[16] to disobey him. But he's not long for this world, as you'll see for yourself the moment that you set[17] eyes on him."

---

1. **he has been sinking _for_ three days** : _il sombre depuis trois jours_ : _depuis_ est traduit par _for_ avec le present perfect car la situation dure encore ; **to sink, sank, sunk**, 1. (ici) _sombrer_. 2. _baisser ; s'enfoncer ; s'écouler ; s'effondrer_. 3. _couler ; envoyer par le fond_. 4. (score) _marquer_. 5. (fin.) _amortir_.

2. **to last** : 1. (ici) _durer_. 2. _se conserver_. 3. _tenir_.

3. **bones** : 1. (ici) _os_. 2. _arête_. 3. (corset) _baleine_. 4. _essentiel_.

4. **to stick out** : 1. (ici) _être en saillie ; sortir ; déborder_. 2._tendre ; allonger_. 3. _tenir le coup_.

5. **to stand** : 1. (ici) _supporter ; tolérer_. 2. _mettre ; poser_. 3. _classer ; compter_. 4. _être debout_. 5. _rester ; reposer_. 6. (US) _payer une tournée_.

6. **leave** : 1. (ici) _permission ; autorisation_. 2. _congé_.

7. **to waste** : 1.(ici) _perdre ; gaspiller_. 2. _atrophier ; décharner_.

8. **alive** : 1. (ici) _vivant(e)_. 2. _vif, vive_. 3. _conscient(e), sensible_.

9. **I need not say** : Notez : le verbe **need** se comporte comme un défectif, et est donc suivi d'un infinitif sans **to**, surtout, comme ici, dans une phrase négative : _je n'ai pas besoin de dire_.

— Il est en train de sombrer depuis trois jours, et je doute qu'il passe la journée. Il n'a pas voulu me laisser chercher un médecin. Ce matin, quand j'ai vu ses os saillant sous la peau de son visage et ses grands yeux brillants qui me regardaient, je n'ai pas pu en supporter plus. Avec ou sans votre permission, monsieur Holmes, je pars sur-le-champ chercher un médecin, ai-je dit.

— « Alors, que ce soit Watson », a-t-il dit. Je ne perdrais pas un instant pour aller le voir, monsieur, ou bien vous pourriez ne plus le voir vivant.

J'étais horrifié, car je n'étais en rien au courant de sa maladie. Je n'ai pas besoin de dire que je me précipitai sur mon manteau et mon chapeau. Alors que nous repartions, je lui demandai des détails.

— Il y a peu que je puisse vous dire, monsieur. Il a travaillé sur une affaire à Rotherhithe, dans une ruelle près du fleuve, et il en a ramené cette maladie. Il s'est alité mercredi après-midi, et n'a plus bougé depuis. Il n'a rien mangé ni bu depuis ces trois derniers jours.

— Bonté divine ! Pourquoi n'avez-vous pas fait venir un médecin ?

— Il n'en voulait pas, monsieur. Vous savez comme il est autoritaire. Je n'ai pas osé lui désobéir. Mais il n'en a plus pour longtemps dans ce monde, comme vous le verrez vous-même au moment où vous poserez votre regard sur lui.

---

10. **to rush** : 1. (ici) *se précipiter*; *foncer*. 2. *s'engouffrer*. 3. *expédier*. 4. *bousculer*; *presser*; *transporter d'urgence*. 5. *attaquer*; *agresser*.

11. **Rotherhithe** : *quartier résidentiel du sud de Londres, sur la rive sud de la Tamise.*

12. **alley** : 1. (ici) *allée*. 2. *ruelle*; *passage*. **blind alley**, *impasse*.

13. **to take to a bed** : *s'aliter*; **to take to** (personne) *se prendre d'amitié*; (habitude) *se mettre à*.

14. **to call in** : 1. (ici) *faire venir*. 2. (banque) *retirer de la circulation*.

15. **masterful** : *autoritaire*.

16. **to dare** : *oser*; **dare** peut également être employé comme défectif, et donc être suivi de l'infinitif sans **to**.

17. **to set** : 1. (ici) *poser*; *mettre*; *placer*; *figer*. 2. *situer*. 3. (moteur) *régler*. 4. *fixer*, *sertir*. 5. (typo) *composer*. 6. (soleil) *se coucher*.

He was indeed a deplorable spectacle. In the dim[1] light of a fogg[2]y November day the sick[3] room was a gloomy spot, but it was that gaunt, wasted[4] face staring at me from the bed which sent a chill[5] to my heart. His eyes had the brightness of fever, there was a hectic flush[6] upon either cheek, and dark crusts[7] clung[8] to his lips; the thin hands upon the coverlet[9] twitched[10] incessantly, his voice was croaking[11] and spasmodic. He lay listlessly[12] as I entered the room, but the sight of me brought a gleam[13] of recognition to his eyes.

"Well, Watson, we seem to have fallen upon evil[14] days," said he in a feeble voice, but with something of his old carelessness[15] of manner.

"My dear fellow!" I cried, approaching him.

"Stand back! Stand right back!" said he with the sharp[16] imperiousness[17] which I had associated only with moments of crisis. "If you approach me, Watson, I shall order you ou[18]t of the house."

"But why?"

"Because it is my desire. Is that not enough?"

Yes, Mrs. Hudson was right. He was more masterful than ever. It was pitiful, however, to see his exhaustion[19].

"I only wished to help," I explained.

"Exactly! You will help best by doing what you are told[20]"

"Certainly, Holmes."

---

1. **dim** : 1. (ici) *blafard(e)* ; *terne* ; *sombre* ; *morne*. 2. *vague* ; *imprécis(e)* ; *indistinct(e)*. 3. *stupide*.

2. **foggy** : 1. (ici) *brumeux (euse)*. 2. *confus(e)*. 3. *voilé(e)*.

3. **sick** : 1. (ici) *malade*. 2. *dégoûté(e), écœuré(e)*. 3. *malsain(e)*.

4. **wasted** : 1. (ici) *émacié(e)*. 2. *gaspillé(e), perdu(e)*.

5. **chill** : 1. (ici) *froid*. 2. *fraîcheur* ; *froideur*. 3. *coup de froid*.

6. **flush** : 1. (ici) *rougeur*. 2. *éclat*. 3. *chasse* (d'eau).

7. **crust** : 1. *croûte* ; *couche*. 2. *escarre*. 3. (vin) *dépôt*.

8. **clung** : p. passé du verbe irrégulier **to cling, clung, clung.**

9. **coverlet** : *couvre-lit* ; *dessus-de-lit*.

10. **to twitch** : 1. (ici) *se contracter nerveusement* ; *avoir un mouvement convulsif*. 2. *s'agiter* ; *se remuer* ; *donner un coup sec*.

11. **to croak** : 1. (ici) *parler d'une voix rauque, éraillée*. 2. *ronchonner* ; **croaking** : ici, *voix rauque* ; (grenouille) *coassement* ; (corbeau/corneille) *croassement*.

C'était en vérité un spectacle déplorable. Dans la lumière blafarde d'une journée brumeuse de novembre, la chambre du malade était un endroit lugubre, mais ce fut le visage cireux et émacié me fixant depuis le lit qui me glaça le cœur. Ses yeux avaient l'éclat de la fièvre, ses joues avaient une rougeur hectique, et des croûtes noires adhéraient à ses lèvres ; les mains maigres posées sur le couvre-lit se contractaient nerveusement sans arrêt ; sa voix était rauque et convulsive. Il était mollement étendu lorsque je pénétrai dans la chambre, mais ma vue amena une lueur de reconnaissance dans son regard.

— Eh bien, Watson, nous semblons être tombés dans des jours funestes, dit-il, d'une voix faible mais avec un quelque chose de ses manières insouciantes d'avant.

— Mon cher ami ! m'écriai-je, m'approchant de lui.

— Reculez ! Reculez tout de suite ! dit-il, avec le caractère impérieux et tranchant que j'avais associé seulement aux moments de crise. Si vous m'approchez, Watson, je vous ordonnerai de quitter cette maison.

— Mais pourquoi ?

— Parce que tel est mon désir. Cela ne suffit-il pas ?

Oui, Mme Hudson avait raison. Il était plus autoritaire que jamais. Ça faisait de la peine, cependant, de voir son épuisement.

— Je ne souhaitais que vous aider, expliquai-je.

— Justement ! Vous m'aiderez plus en faisant ce que l'on vous dit.

— Certainement, Holmes.

---

12. **listlessly** : *mollement* ; *avec apathie* ; *d'un air absent.*

13. **gleam** : 1. (ici) *lueur.* 2. *miroitement.*

14. **evil** : 1. (ici) *funeste.* 2. *méchant(e)* ; *malfaisant(e)* ; (odeur) *infect(e).*

15. **carelessness** : 1. (ici) *désinvolture* ; *insouciance.* 2. *négligence* ; *manque d'attention.*

16. **sharp** : 1. (ici) *affûté(e)* ; *tranchant(e)* ; *brusque.* 2. *cinglant(e).*

17. **imperiousness** : *caractère impérieux.*

18. **to order out** : notez que l'adverbe **out** est traduit par un verbe : *quitter.*

19. **exhaustion** : *épuisement* ; *grande fatigue.*

20. **what you are told** : *on* est traduit par la voix passive en particulier avec un verbe comme **to tell** (et **to give**, **to send**, **to ask**, etc.).

He relaxed[1] the austerity of his manner.

"You are not angry?" he asked, gasping[2] for breath. Poor devil, how could I be angry when I saw him lying in such a plight[3] before me?

"It's for your own sake[4], Watson," he croaked.

"For *my* sake?"

"I know what is the matter with me. It is a coolie[5] disease from Sumatra-a thing that the Dutch[6] know more about than we, though they have made little of it up to date[7]. One thing only is certain. It is infallibly deadly[8], and it is horribly contagious."

He spoke now with a feverish energy, the long hands twitching and jerking[9] as he motioned me away[10].

"Contagious by touch[11], Watson – that's it, by touch. Keep your distance and all is well."

"Good heavens, Holmes! Do you suppose that such a consideration weighs[12] with me of an instant? It would not affect me in the case of a stranger. Do you imagine it would prevent me from doing[13] my duty to so old a friend?"

Again I advanced, but he repulsed[14] me with a look of furious anger.

"If you will stand there I will talk. If you do not you must leave the room."

---

1. **to relax** : 1. (ici) *relâcher*; *décontracter*; *détendre*. 2. *se détendre*; *se relaxer*; *se desserrer*. 3. (discipline) *assouplir*; *détendre*.

2. **to gasp** : 1. (ici) *haleter*. 2. *avoir le souffle coupé*. 3. (GB) **to gasp for**, *mourir d'envie de*.

3. **plight** : *situation désespérée, état critique*; **to plight** (arch.;) *promettre*; *engager*; **to plight one's word**, *donner sa parole*.

4. **sake** : 1. (ici) *bien*; *intérêt*. 2. **for the sake** *pour, à cause*.

5. **coolie** : travailleur agricole d'origine asiatique; étymologiquement le terme pourrait venir du chinois et du japonais signifiant *pénible* et *force*.

6. **Dutch** : n. pl. *les Hollandais(es)*; *les Néerlandais(es)*; adj. *hollandais(e)*; *néerlandais(e)*; **to go dutch** (**with sb**), *partager les frais, l'addition* (avec qqn).

Il relâcha l'austérité de son attitude.

— Vous n'êtes pas fâché ? demanda-t-il en haletant.

Pauvre diable, comment pourrais-je être fâché en le voyant devant moi dans un état aussi critique ?

— C'est dans votre propre intérêt, Watson, dit-il d'une voix rauque.

— Dans mon intérêt ?

— Je sais quel est mon problème. C'est la maladie des coolies de Sumatra – une chose dont les Hollandais ont une meilleure connaissance que nous, bien qu'ils n'en aient jusqu'ici pas tiré grand-chose. Une chose seulement est certaine. C'est imman-quablement mortel, et c'est terriblement contagieux.

Il parlait maintenant avec une énergie fébrile, ses longues mains contractées et agitées de saccades me firent signe de m'éloigner.

— Contagieux par le contact, Watson, c'est cela, par le contact. Gardez vos distances et tout ira bien.

— Dieu du ciel, Holmes ! Supposez-vous qu'une telle consi-dération pèse sur moi un seul instant ? Est-ce que vous vous imaginez que cela m'empêcherait de faire mon devoir envers un si vieil ami ?

Je m'avançai à nouveau, mais il me repoussa avec un regard furieux.

— Si vous restez là je parlerai. Sinon il vous faut quitter cette pièce.

---

7. **made little of it up to date** : m. à m. *en ont fait peu de moderne*, rendu par *n'en aient pas tiré grand-chose*.

8. **deadly** : adj. 1. (ici) *mortel* ; *meurtrier*. 2. (précis) *excellent(e)*. 3. *bar-bant* ; adv. *extrêmement* ; *terriblement*.

9. **to jerk** : (ici) *tressauter* ; *cahoter*. 2. *sursauter*.

10. **to motion away sb** : *faire signe à qqn de sortir*.

11. **touch** [tʌtʃ] : 1. (ici) *contact*. 2. *toucher*. 3. (style) *touche* ; *patte*. 4. (détail) *note* ; *pointe*. 5. (sport) *touche*.

12. **to weigh** : 1. (ici, sens figuré) *peser*. 2. (poids) *peser* ; *lester*.

13. **to prevent from doing** : *empêcher de faire* ; notez toujours la forme en –*ing* après une préposition.

14. **to repulse** : *repousser* ; n. **repulse**, *refus* ; *rebuffade* ; (mil.) *défaite* ; *échec*.

I have so deep a respect for the extraordinary qualities of Holmes that I have always deferred[1] to his wishes, even when I least understood them. But now all my professional instincts were aroused[2]. Let him be my master elsewhere[3], I at least[4] was his in a sick room.

"Holmes," said I, "you are not yourself. A sick man is but[5] a child, and so I will treat[6] you. Whether you like it or not, I will examine your symptoms and treat you for them."

He looked at me with venomous eyes.

"If I am to have a doctor whether I will or not, let me at least have someone in whom I have confidence[7]," said he.

"Then you have none in me?"

"In your friendship, certainly. But facts are facts, Watson, and, after all, you are only a general practitioner[8] with very limited experience and mediocre[9] qualifications. It is painful to have to say these things, but you leave[10] me no choice."

I was bitterly[11] hurt[12].

"Such a remark is unworthy[13] of you, Holmes. It shows me very clearly the state of your own nerves. But if you have no confidence in me I would not intrude[14] my services. Let me bring Sir Jasper Meek or Penrose Fisher, or any of the best men in London. But someone you MUST have, and that is final.

---

1. **to defer** : 1. (ici) *s'incliner* ; *se soumettre*. 2. *remettre* ; *reporter* ; *différer* ; *reporter* ; (jur.) *suspendre*.

2. **to arouse** : 1. (ici) *se réveiller* ; *éveiller*. 2. *stimuler* ; *provoquer*.

3. **elsewhere** : adv. *ailleurs*.

4. **at least** : adv. *au moins* ; *du moins* ; *tout du moins*.

5. **but** : 1. (ici, adv.) *ne... que* ; *juste*. 2. conj. *mais*. 3. prép. *sauf* ; *à part*. 4. (lit.) *sans... que*.

6. **to treat** : 1. (ici, méd.) *soigner* ; (maladie) *traiter*. 2. *utiliser* ; *se servir de*. 3. *traiter* (personne). 4. *considérer* (problème). 5. *offrir* ; *payer qqch à qqn*. 6. (négocier) *traiter* ; n. **treat**, *cadeau* ; *plaisir* ; *surprise* ; *plaisir*.

J'ai un si profond respect pour les extraordinaires qualités d'Holmes que je me suis toujours incliné devant ses désirs, même quand je les comprenais moins. Mais là, tous mes instincts professionnels se réveillèrent. Qu'il soit mon maître ailleurs, mais ici, au moins, j'étais le sien dans une chambre de malade.

— Holmes, dis-je, vous n'êtes pas vous-même. Un malade n'est qu'un enfant, et ainsi je vous soignerai. Que cela vous plaise ou non, j'examinerai vos symptômes, que je traiterai pour vous.

Il me lança un regard venimeux.

— S'il me faut voir un médecin, que je le veuille ou non, qu'au moins j'aie quelqu'un en qui j'ai confiance, dit-il.

— Alors vous n'avez pas confiance en moi ?

— Dans votre amitié, certainement. Mais les faits sont les faits, Watson, et après tout vous n'êtes qu'un généraliste avec une expérience très limitée et des qualifications médiocres. Il est pénible d'avoir à dire ces choses, mais vous ne me laissez pas le choix.

Je fus profondément blessé.

— Une telle remarque n'est pas digne de vous, Holmes. Cela me montre très clairement l'état de vos nerfs. Mais si vous n'avez pas confiance en moi je ne vous imposerai pas mes services. Laissez-moi vous amener Sir Jasper Meel ou Penrose Fisher, ou n'importe lequel des meilleurs médecins de Londres. Mais *il vous faut* voir quelqu'un, point final !

---

7. **confidence** : 1. (ici) *confiance*. 2. *confiance en soi, assurance*. 3. *confidence*.

8. **general practitioner** : *médecin généraliste* ; *médecin traitant* : *omnipraticien(ne)*.

9. **mediocre** [ˌmiːdɪˈəʊkəʳ].

10. **to leave, left, left** : 1. (ici) *laisser*. 2. *partir* ; (job) *quitter*. 3. (personne) *laisser* ; *quitter* ; *abandonner*. 4. *léguer*.

11. **bitterly** : 1. (ici) *profondément* ; *cruellement*. 2. *amèrement* ; *âprement*.

12. **hurt** : adj.1. (ici) *blessé(e)* ; *froissé(e)*. 2. (blessure) *blessé(e)* ;

13. **unworthy** : 1. (ici) *pas digne, indigne*. 2. *peu méritant(e)*.

14. **to intrude** : 1. (ici) *imposer*. 2. *déranger* ; *s'imposer*. 3. *empiéter*.

If you think that I am going to stand here and see you die[1] without either helping you myself or bringing anyone else to help you, then you have mistaken[2] your man."

"You mean well[3], Watson," said the sick man with something between a sob[4] and a groan[5]. "Shall I demonstrate your own ignorance? What do you know, pray, of Tapanuli fever[6]? What do you know of the black Formosa corruption[7]?"

"I have never heard of either."

"There are many problems of disease, many strange pathological possibilities, in the East, Watson. I have learned so much during some recent researches which have a medico-criminal aspect. It was in the course of them that I contracted[8] this complaint[9]. You can do nothing."

"Possibly not. But I happen to know that Dr. Ainstree, the greatest living authority upon tropical disease, is now in London. All remonstrance[10] is useless, Holmes, I am going this instant to fetch[11] him." I turned resolutely to the door.

Never have I had such a shock! In an instant, with a tiger-spring[12], the dying man had intercepted me. I heard the sharp snap[13] of a twisted[14] key. The next moment he had staggered back[15] to his bed, exhausted and panting after his one tremendous outflame[16] of energy.

---

1. **see you die** : *vous voir mourir*. ▶ Les verbes de perception comme **to see**, **to hear**, **to notice**, etc., sont suivis d'un verbe sans **to**.

2. **to mistake**, **mistook**, **mistaken** : *se méprendre* ; *se tromper sur*.

3. **to mean well** : *vouloir bien faire* ; **to mean**, 1. (ici) *vouloir dire*. 2. *signifier*. 3. *compter* (valeur). 4. *avoir l'intention de*. 5. *être censé(e)*.

4. **sob** : *sanglot* ; **to sob**, *sangloter*.

5. **groan** : 1. (ici) *gémissement* ; *plainte*. 2. *grognement*. 3. *ronchonnement*.

6. **Tapanuli fever** : maladie infectieuse identifiée en 1912, à Rangoon, capitale de la Birmanie.

7. **corruption** : 1. (ici) *infection*. 2. (politicien) *corruption*. 3. (texte) *altération*. 4. *dépravation*.

8. **to contract** : 1. (ici, maladie) *contracter*. 2. *s'engager par contrat*. 3. (muscle) *contracter*. 4. (mot) *raccourcir* ; *contracter*.

9. **complaint** : 1. (ici) *affection*, *maladie*. 2. *plainte* ; *récrimination*. 3. *gried, motif de plainte*.

Si vous pensez que je vais rester ici et vous voir mourir sans, soit vous aider moi-même, ou bien amener quelqu'un d'autre pour vous aider, alors vous vous êtes mépris sur moi.

— Vous voulez bien faire, Watson, dit l'homme malade avec quelque chose entre un sanglot et un gémissement. Dois-je vous démontrer votre propre ignorance ? Que savez-vous, je vous prie de la fièvre de Tapanuli ? Que savez-vous de l'infection noire de Formose ?

— Je n'ai jamais entendu parler ni de l'une ni de l'autre.

— Il existe de nombreuses sortes de maladies, beaucoup d'étranges possibilités pathologiques en Orient, Watson. J'ai beaucoup appris au cours de quelques récentes recherches à propos de l'aspect médico-criminel. C'est en m'y livrant que j'ai contracté cette affection. Vous ne pouvez rien faire.

— Peut-être que non. Mais il se trouve que je sais que le Dr Ainstree, la plus grande autorité sur les maladies tropicales, est actuellement à Londres. Toute protestation est inutile, Holmes, je vais sur l'heure le chercher.

Je me dirigeai résolument vers la porte.

Jamais je n'avais eu un tel choc ! En un instant, d'un bond de tigre, le mourant m'avait intercepté. J'entendis le bruit sec d'une clé qui tournait. L'instant suivant il revint en titubant vers son lit, épuisé et haletant après son énorme sursaut d'énergie.

---

10. **remonstrance** : 1. (ici) *protestation*. 2. *remontrance*.

11. **to fetch** : 1. (ici) *aller chercher*. 2. *susciter* (applaudissements). 3. (prix) *atteindre*. 4. (soupir) *pousser*. 5. (coup) *flanquer*.

12. **spring** : 1. (ici) *bond, saut*. 2. *ressort* ; **springs**, (auto) *suspension*. 3. *élasticité*. 4. *source*. 5. *printemps*.

13. **snap** : n. 1. (ici) *claquement, bruit sec, coup sec*. 2. *photo* ; *instantané* ; adj. 1. *éclair*. 2. *immédiat(e)* ; *irréfléchi(e)* ; *hâtif, hâtive* ; interjection, (UK, cartes) *bataille !* ; **snap !** *tiens ! quelle coïncidence !*

14. **to twist** : 1. (ici) *tourner*. 2. *entortiller*. 3. *fouler*. 4. *déformer*. 5. *serpenter*.

15. **to stagger back** : *revenir en titubant*. ▶ Rappel : c'est l'adverbe **back** qui traduit le mouvement, *revenir*, et le verbe, la manière dont il s'opère, *en titubant* ; **to stagger**, 1. (ici) *tituber, chanceler*. 2. (paiement) *échelonner* ; **to be staggered**, *être atterré(e)*.

16. **outflame** : *sursaut*.

"You won't take the key from me by force, Watson, I've got you, my friend. Here you are, and here you will stay until I will otherwise[1]. But I'll humour[2] you." (All this in little gasps[3], with terrible struggles[4] for breath between.) "You've only my own good at heart[5]. Of course I know that very well. You shall have your way[6], but give me time to get my strength. Not now, Watson, not now. It's four o'clock. At six you can go."

"This is insanity[7], Holmes."

"Only two hours, Watson. I promise you will go at six. Are you content to wait?"

"I seem to have no choice."

"None in the world, Watson. Thank you, I need no help in arranging the clothes.[8] You will please keep your distance. Now, Watson, there is one other condition that I would make. You will seek[9] help, not from the man you mention, but from the one that I choose."

"By all means.[10]"

"The first three sensible[11] words that you have uttered[12] since you entered this room, Watson. You will find some books over there. I am somewhat[13] exhausted[14]; I wonder how a battery[15] feels when it pours[16] electricity into a non-conductor? At six, Watson, we resume[17] our conversation."

---

1. **otherwise** : adv. 1. (ici) *autrement*. 2. *sinon* ; *à part cela* ; adj. *autre*.

2. **to humour** : m. à m. *faire plaisir* rendu ici par *être conciliant*.

3. **gasp** : 1. (ici) *halètement*. 2. *hoquet*. 3. *souffle*.

4. **struggle** : 1. (ici) *effort*. 2. *lutte*.

5. **You've only my own good at heart** : m. à m. *vous avez seulement mon bien à cœur* rendu par *vous n'avez à cœur que mon bien*.

6. **you shall have your way** : m. à m. *vous aurez votre manière*, rendu par *vous agirez de votre manière*.

7. **insanity** : *folie* ; *démence*.

8. **the clothes** : il s'agit ici non pas de *vêtements* mais de **bed clothes**, *couvertures et draps*.

9. **to seek, sought, sought** : 1. (ici) *aller chercher* ; *rechercher*. 2. *demander (conseil)*. 3. *tenter de faire*. 4. *chercher*.

10. **by all means** : 1. (ici, adv.) *certainement* ; *absolument*. 2. *par tous les moyens*.

— Vous ne m'arracherez pas la clé par la force, Watson. Je vous ai eu, mon ami. Vous êtes ici, et vous resterez ici jusqu'à ce j'en décide autrement. Mais je serai conciliant. (Tout cela dans de petits halètements avec de terribles efforts pour reprendre haleine.) Vous n'avez à cœur que mon bien. Bien sûr, je sais cela très bien. Vous agirez à votre manière, mais laissez-moi le temps de reprendre mes forces. Pas maintenant, Watson, pas maintenant. Il est quatre heures. À six heures vous pourrez partir.

— C'est de la folie, Holmes.

— Deux heures seulement, Watson, je vous promets que vous pourrez y aller à six heures. Êtes-vous satisfait d'attendre ?

— Il semble que je n'aie pas le choix.

— Aucun, Watson. Merci, je n'ai pas besoin d'aide pour arranger les couvertures et les draps. Vous voulez bien garder vos distances, s'il vous plaît. Maintenant, Watson, je vais poser une autre condition. Vous irez chercher de l'aide, non pas de l'homme dont vous me faites part, mais de celui que je choisis.

— Mais certainement.

— Les premiers mots sensés que vous avez prononcés depuis que vous êtes entré dans cette pièce. Vous trouverez des livres par là. Je suis quelque peu épuisé. Je me demande ce qu'éprouve une batterie quand elle transmet de l'électricité à un corps non conducteur. À six heures, Watson, nous reprenons notre conversation.

---

11. **sensible** : 1. (ici) *sensé(e)* ; *judicieux (euse)*. 2. *pratique*. 3. *appréciable*. 4. **to be sensible of**, *avoir conscience du*.

12. **to utter** : 1. (ici) *prononcer* ; *proférer* ; (cri) *pousser*. 2. *publier* (écrit diffamatoire) ; (fausse monnaie) *émettre*.

13. **somewhat** : *quelque peu* ; *un peu*.

14. **exhausted** : 1. (ici, personne) *épuisé(e)*, *exténué(e)*. 2. (mine) *épuisée*.

15. **battery** : 1. (ici) *batterie* ; *pile* ; *accumulateur*. 2. (canon, missile) *batterie*. 3. *tir de barrage*.

16. **to pour** : 1. (ici) *verser*, *transmettre*. 2. *se déverser* ; *couler*. 3. (pluie) *pleuvoir à verse*. 4. *investir*. 5. (spectateurs) *affluer*.

17. **to resume** [rɪ'zju:m] : 1. (ici) *reprendre* ; *continuer* ; *poursuivre*.
▶ Attention : **to summarize**, *résumer*.

But it was destined[1] to be resumed long before that hour, and in circumstances which gave me a shock hardly second to that[2] caused by his spring to the door. I had stood for some minutes looking at the silent figure[3] in the bed. His face was almost covered by the clothes and he appeared to be asleep. Then, unable to settle down to reading[4], I walked slowly round the room, examining the pictures of celebrated criminals with which every wall was adorned[5]. Finally, in my aimless[6] perambulation[7], I came to the mantelpiece[8]. A litter[9] of pipes, tobacco-pouches, syringes, penknives[10], revolver-cartridges, and other debris[11] was scattered[12] over it. In the midst of these was a small black and white ivory box with a sliding[13] lid[14]. It was a neat[15] little thing, and I had stretched out[16] my hand to examine it more closely, when –

It was a dreadful cry that he gave – a yell[17] which might have been heard down the street. My skin went cold and my hair bristled[18] at that horrible scream. As I turned I caught a glimpse of a convulsed face and frantic[19] eyes. I stood paralyzed, with the little box in my hand.

"Put it down! Down, this instant, Watson – this instant, I say!" His head sank back upon the pillow and he gave a deep sigh of relief[20] as I replaced the box upon the mantelpiece. "I hate to have my things touched, Watson.

---

1. **it was destined** : 1. (ici) m. à m. *il était destiné* rendu ici par *il était dit*. 2. *voué(e)*. 3. (vol) *à destination*.

2. **hardly second to that** : m. à m. *à peine second à* rendu ici par *presque semblable à...*

3. **figure** : 1. (ici) *silhouette*. 2. (roman, film) *personnage*. 3. (forme humaine) *ligne*. 4. *chiffre*; *somme*. 5. (géométrie, danse) *figure*. 6. (rhétorique) **figure of speech**, *figure de rhétorique*.

4. **unable to settle down to reading** : m. à m. *incapable de m'installer* rendu ici par *incapable de m'absorber dans la lecture*.

5. **to adorn** : 1. (ici) *orner*; *parer*. 2. (histoire) *embellir*.

6. **aimless** : 1. (ici) *sans but*; *sans objet*; *futile*. 2. (personne) *désœuvré(e)*.

7. **perambulation** : *déambulation*; *promenade*.

8. **mantelpiece** : 1. (ici) *tablette de cheminée*. 2. *manteau de cheminée*.

9. **litter** : 1. (ici) *fouillis*. 2. *détritus*; *ordures*. 3. *litière*. 4. *palanquin* (sorte de chaise à porteur).

10. **penknife** ['pennaɪf] : *canif*. ▶ Notez le **k** muet.

Mais il était dit qu'elle devait reprendre bien avant cette heure, et dans des circonstances qui me donnèrent un choc presque semblable à celui causé par son bond en direction de la porte. Je me tenais depuis quelques minutes debout à regarder cette silhouette silencieuse dans le lit. Son visage était presque couvert par les draps et il paraissait endormi. Puis, incapable de m'absorber dans la lecture, je fis lentement le tour de la chambre, examinant les portraits des criminels célèbres qui ornaient tous les murs. Finalement, dans ma déambulation sans but, j'arrivai à la tablette de cheminée. Un fouillis de pipes, de blagues à tabac, de seringues, de canifs, de cartouches de revolver et autres babioles était éparpillé dessus. Au milieu de tout cela, il y avait une petite boîte en ivoire noir et blanc avec un couvercle coulissant. C'était une jolie petite chose, et j'avais allongé ma main pour l'examiner de plus près, quand...

Il poussa un cri terrible – un hurlement qu'on aurait pu entendre de la rue. J'eus froid dans le dos et mes cheveux se hérissèrent en entendant ce cri horrible. En me retournant j'aperçus son visage convulsé et des yeux fous. Je restai paralysé, la petite boîte dans ma main.

— Posez-la ! Posez-la, tout de suite, Watson, vous dis-je. (Sa tête replongea sur l'oreiller et il poussa un profond soupir de soulagement quand je reposai la boîte sur la tablette de la cheminée.) Je déteste que l'on touche mes affaires, Watson.

---

11. **debris** ['debri:] : *débris* rendu ici par *babiole*s.

12. **scattered** : 1. (ici) *éparpillé(e)*. 2. *parsemé(e)*. 3. (population) *dispersé(e)* ; *disséminé(e)*. 4. (nuages, maison) *épars*. 5. (lumière) *diffuse*.

13. **to slide** : 1. (ici) *coulisser*. 2. *glisser*. 3. (prix) *baisser*.

14. **lid** : (ici) *couvercle*. 2. *paupière*. 3. *galurin* ; *casque*.

15. **neat** : 1. (ici) *jolie*. 2. *net(te)*, *soigné(e)*, *bien rangé(e)*. 3. *efficace* ; *bien conçu(e)* ; (solution) *élégante*. 4. (alcool) *sec* ; *sans eau*. 5. (US) *chouette*, *super*.

16. **to stretch out** : 1. (ici) *allonger*. 2. *tendre*. 3. *prolonger, faire durer*. 4. *s'étendre* ; *s'étaler*.

17. **a yell** : 1. (ici) *cri, hurlement*. 2. (US) *cri de ralliement*.

18. **to bristle** : 1. (ici) *se hérisser* ; *se redresser*. 2. *s'irriter*.

19. **frantic** : adj. 1. (ici) *fou, folle* ; *éperdu(e)* ; *affolé(e)*. 2. *frénétique*.

20. **relief** [rɪ'li:f] : 1. (ici) *soulagement*. 2. *secours* ; *aide*. 3. *divertissement*. 4. (ville assiégée) *libération*. 5. (garde) *relève*. 6. (art, carte) *relief*. 7. (jur.) *réparation* ; *dérogation*.

You know that I hate it. You fidget[1] me beyond endurance[2]. You, a doctor – you are enough to drive a patient into an asylum. Sit down, man, and let me have my rest!" The incident left a most unpleasant impression upon my mind. The violent[3] and causeless[4] excitement, followed by this brutality of speech, so far removed[5] from his usual suavity[6], showed me how deep was the disorganization of his mind. Of all ruins, that of a noble mind is the most deplorable. I sat in silent dejection[9] until the stipulated time had passed. He seemed to have been watching the clock as well as I, for it was hardly six before he began to talk with the same feverish animation as before.

"Now, Watson," said he. "Have you any change[10] in your pocket?"

"Yes."

"Any silver[11]?"

"A good deal[12]."

"How many half-crowns[13]?"

"I have five."

"Ah, too few! Too few! How very unfortunate, Watson! However, such as they are you can put them in your watch pocket[14].

And all the rest of your money in your left trouser pocket. Thank you. It will balance[15] you so much better like that."

---

1. **to fidget** : verbe employé ici transitivement (emploi très rare aujourd'hui) au sens de *mettre mal à l'aise, énerver*.

2. **beyond endurance** : *au-delà du supportable*.

3. **violent** ['vaɪələnt].

4. **causeless** : *non fondée, injustifiée*.

5. **removed** : *éloigné(e)* ; **to remove** : 1. *enlever* ; *retirer* ; *ôter* ; *révoquer*. 2. *supprimer* ; *écarter*. 3. *déménager* ; *se retirer*.

6. **suavity** : 1. (ici) *politesse*. 2. *élégance*.

7. **ruins** : 1. (ici) *dégénérescence*. 2. *ruine*.

8. **silent** ['saɪlənt].

9. **dejection** [dɪ'dʒekʃn] : *abattement* ; *découragement*.

10. **change** : 1. (ici) *monnaie*. 2. *rechange*. 3 (voyage) *changement* ; *correspondance*. 4. *modification* ; *changement*.

— Vous savez que je déteste cela. Vous m'énervez au-delà du supportable. Vous, un médecin... Vous avez de quoi conduire un patient dans un asile. Asseyez-vous et laissez-moi me reposer.

Cet incident me laissa une impression des plus déplaisante. L'excitation violente et non fondée de Holmes, suivie par cette brutalité de ton, si éloignée de sa suavité habituelle, me montrait à quel point était profond le désordre de son esprit. De toutes les déchéances, celle d'un grand esprit est la plus déplorable. Je m'assis, dans un abattement silencieux jusqu'à ce que le délai stipulé soit écoulé. Il semblait avoir surveillé l'heure aussi bien que moi, car il était à peine six heures avant qu'il se mette à parler avec la même excitation fiévreuse qu'auparavant.

— Maintenant, Watson, avez-vous de la monnaie dans votre poche ?

— Oui.

— Des pièces d'argent

— Un bon nombre.

— Combien de demi-couronnes ?

— J'en ai cinq.

— Ah, trop peu ! C'est très malheureux, Watson ! Cependant, telles qu'elles sont, vous pouvez les mettre dans votre gousset.

Et tout le reste de votre argent dans la poche gauche de votre pantalon. Merci. Vous tiendrez bien mieux en équilibre comme cela.

---

11. **silver** : n. 1. (ici) *pièce d'argent*. 2. (métal ; couleur) *argent*. 3. (sport) *médaille d'argent*. adj. *d'argent* ; *argenté(e)* ; (son) *argentin(e)*.

12. **a good deal** : *un bon nombre* ; *beaucoup* ; **deal** : 1. *quantité* (ici). 2. *affaire, marché*. 3. (cartes) *donne*. 4. *planche*.

13. **half-crowns** : (GB) *demi-couronne*, soit, en 2016 = 0,15 euro.

14. **watch pocket** : *gousset*.

15. **to balance** : 1. (ici) *tenir en équilibre ; se maintenir en équilibre*. 2. *équilibrer ; contrebalancer*. 3. *s'équilibrer ; être équilibré(e)*. 4. *peser ; mettre en balance ; comparer*. 5. *régler ; solder*.

This was raving[1] insanity. He shuddered[2], and again made a sound between a cough[3] and a sob[4].

"You will now light[5] the gas, Watson, but you will be very careful that not for one instant shall it be more than half on. I implore you to be careful, Watson. Thank you, that is excellent. No, you need not draw[6] the blind[7]. Now you will have the kindness to place some letters and papers upon this table within my reach[8]. Thank you. Now some of that litter[9] from the mantelpiece. Excellent, Watson! There is a sugar-tongs[10] there. Kindly raise that small ivory box with its assistance[11]. Place it here among the papers. Good! You can now go and fetch Mr. Culverton Smith, of 13 Lower Burke Street."

To tell the truth, my desire[12] to fetch[13] a doctor had somewhat weakened[14], for poor Holmes was so obviously delirious that it seemed dangerous to leave him. However, he was as eager now to consult the person named as he had been obstinate in refusing.

"I never heard the name," said I.

"Possibly not, my good Watson. It may surprise[15] you to know that the man upon earth who is best versed[16] in this disease is not a medical man, but a planter[17]. Mr. Culverton Smith is a well-known resident of Sumatra, now visiting London.

---

1. **raving** : *délirant(e)* ; **to rave** : 1. (ici) *délirer* ; *divaguer*. 2. *se déchaîner*. 3. *s'extasier*. 4. (GB) *faire la bringue*.

2. **to shudder** : 1. (ici) *frissonner* ; *frémir* ; *trembler*. 2. (moteur) *vibrer* ; *trépider*.

3. **cough** [kɒf] : *toux*.

4. **sob** : Voir note 4, p. 90.

5. **to light** : 1. (ici) *allumer*. 2. *éclairer*. 3. (allumette) *craquer*.

6. **you need not draw** : rappel ▶ Notez : le verbe **need** se comporte comme un défectif, et est donc suivi d'un infinitif sans **to**, surtout, comme ici, dans une phrase négative, *vous n'avez pas besoin de tirer...*

7. **blind** : 1. (ici) *rideau* ; *store* ; *jalousie*. 2. *prétexte* ; *feinte*. 3. (US) *cachette* ; *affût* (chasse).

8. **within my reach** : *à ma portée* ; **reach** : 1. (ici) *portée* ; *atteinte*. 2. (boxe) *allonge*. 3. (naut.) *bordée* ; *bord*.

C'était une démence délirante. Il frissonna et produisit à nouveau un son entre toux et sanglot.

— Vous allez allumer le gaz maintenant, Watson, mais vous ferez bien attention que pas un seul instant il ne soit à plus de la moitié de sa puissance. Je vous supplie de faire attention, Watson. Merci, c'est excellent. Non, vous n'avez pas besoin de tirer le rideau. Maintenant, vous aurez l'amabilité de placer à ma portée quelques lettres et journaux sur cette table. Merci. Maintenant un peu de ce fouillis sur la tablette de la cheminée. Excellent, Watson, Il y a là une pince à sucre. Ayez l'amabilité de soulever la petite boîte en ivoire avec elle. Placez-la parmi les journaux. Bien ! Vous pouvez maintenant partir chercher M. Culverton Smith, au 13, Lower Burke Street.

À dire vrai, mon désir d'appeler un médecin avait quelque peu faibli, car le pauvre Holmes était si manifestement délirant qu'il semblait dangereux de l'abandonner. Cependant, il semblait maintenant aussi impatient de consulter la personne nommée qu'il s'était obstiné à refuser.

— Je n'ai jamais entendu ce nom, dis-je.

— C'est possible, mon bon Watson. Vous serez peut-être surpris d'apprendre que l'homme qui est le mieux au fait de cette maladie n'est pas un praticien de la médecine, mais un planteur. M. Culverston Smith est un habitant bien connu de Sumatra qui est actuellement en visite à Londres.

---

9. **litter** : voir note 9, p. 94.

10. **sugar-tong** : *pince à sucre.*

11. **with its assistance** : m.a.m. *avec son aide.*

12. **desire** [dɪˈzaɪəʳ].

13. **to fetch** : *aller chercher.*

14. **to weaken** : 1. (ici) *faiblir ; diminuer.* 2. (cœur) *fatiguer* ; (santé) *miner.* 2. *affaiblir ; saper* ; (prix) *fléchir.*

15. **surprise** [səˈpraɪz].

16. **best versed** : m. à m. *le mieux versé(e)* ; *rompu(e)* rendu ici par *le mieux au fait de.*

17. **planter** : 1. (ici) *planteur (euse).* 2. (machine) *planteuse.* 4. *cache-pot.*

An outbreak[1] of the disease[2] upon his plantation, which was distant from medical aid, caused him to study it himself, with some rather far-reaching[3] consequences. He is a very methodical person, and I did not desire you to start before six, because I was well aware[4] that you would not find him in his study. If you could persuade him to come here and give us the benefit of his unique experience of this disease, the investigation of which has been his dearest hobby[5], I cannot doubt that he could help me.

I gave Holmes's remarks as a consecutive whole[6] and will not attempt to indicate how they were interrupted by gaspings for breath and those clutchings[7] of his hands which indicated the pain from which he was suffering. His appearance had changed for the worse[8] during the few hours that I had been with him. Those hectic spots were more pronounced, the eyes shone[9] more brightly out of darker hollows[10], and a cold sweat[11] glimmered[12] upon his brow. He still retained[13], however, the jaunty[14] gallantry[15] of his speech. To the last gasp he would always be the master.

"You will tell him exactly how you have left me," said he. "You will convey the very impression which is in your own mind – a dying man – a dying and delirious man. Indeed, I cannot think why the whole bed of the ocean[16] is not one solid mass of oysters[17], so prolific the creatures[18] seem.

---

1. **outbreak** : 1. (ici) *épidémie*; *éruption*. 2. (feu, guerre) *début*.

2. **disease** [dɪ'ziːz] : 1. (ici) *maladie*. 2. (sens figuré) *mal*; *maladie*.

3. **far-reaching** : *d'une portée considérable*; *d'une grande portée*.

4. **aware** : 1. (ici) *conscient(e)*; *informé(e)*; *au courant*. 2. *sensibilisé(e)*. 3. *attentif (ive)*.

5. **hobby** : *passion*.

6. **a consecutive whole** : m. à m. *un tout ininterrompu*.

7. **to clutch** : 1. (ici) *se cramponner*. 2. *serrer fortement*; *étreindre*. 3. *empoigner, se saisir*.

8. **the worse** : *le pire*.

9. **shone** : prétérit du verbe irrégulier **to shine, shone, shone**, 1. (ici) *briller*. 2. *faire briller*. 3. (torche) *braquer*; *diriger*.

10. **hollows** : 1. (ici) m. à m. *creux* rendu par *orbite*. 2. *creux cuvette*; *enfoncement*; *dénivellation*.

Une épidémie de cette maladie sur sa plantation éloignée d'aide médicale l'a conduit à l'étudier lui-même, avec des conséquences d'une portée considérable. C'est une personne très méthodique, et je ne désirai pas que vous partiez avant six heures parce que j'étais bien conscient que vous ne le trouveriez pas à son bureau. Si vous pouviez le persuader de venir ici et nous offrir le bénéfice de son expérience unique sur cette maladie, dont l'étude a été sa plus chère passion, je ne doute pas qu'il puisse m'aider.

Je donnai les remarques de Holmes comme un tout, et ne tenterai pas d'indiquer comment elles furent entrecoupées de halètements et de crispation de ses mains qui indiquaient la douleur qu'il endurait. Son apparence avait empiré au cours des quelques heures où j'étais avec lui. Les taches hectiques étaient plus prononcées, les yeux brillaient plus dans leurs orbites plus sombres, et une sueur froide luisait sur son front. Cependant, il conservait encore sa manière de parler ferme et enjouée. Jusqu'à son dernier souffle il serait toujours le maître.

— Vous lui direz exactement dans quel état vous m'avez laissé, dit-il. Vous lui transmettrez l'impression même que vous avez à l'esprit – un mourant – un mourant qui délire. Vraiment, je me demande pourquoi le lit entier de l'océan n'est pas une solide masse d'huîtres, tant ces créatures sont prolifiques.

---

11. **sweat** : 1. (ici) *sueur*; *transpiration*. 2. *corvée*. 3. (GB) *sale état*.

12. **to glimmer** : *luire faiblement*.

13. **to retain** : 1. (ici) *conserver*; *garder*. 2. *retenir, garder en mémoire*. 3. *réserver*.

14. **jaunty** : 1. (ici) *enjouée, jovial(e)*; *joyeux (euse)*. 2. *leste*; *allègre*.

15. **gallantry** : 1. (ici) *vaillance*; *courage*. 2. *prouesse*; **the jaunty gallantry of his speech** m. à m. *la vaillance enjouée de son discours* rendu par *sa manière de parler ferme et enjouée*.

16. **ocean** ['əʊʃn].

17. **oyster** : *huître*; **oyster bed**, *parc à huîtres*.

18. **creatures** ['kri:tʃərz].

Ah, I am wandering[1]! Strange how the brain[2] controls the brain! What was I saying, Watson?"

"My directions[3] for Mr. Culverton Smith."

"Ah, yes, I remember. My life depends upon it. Plead[4] with him, Watson. There is no good feeling[5] between us. His nephew, Watson – I had suspicions[6] of foul play[7] and I allowed him to see it. The boy died horribly. He has a grudge[8] against me. You will soften[9] him, Watson. Beg him, pray him, get him here by any means[10]. He can save me – only he!"

"I will bring him in a cab, if I have to carry him down to it." "You will do nothing of the sort. You will persuade him to come. And then you will return in front of him. Make any excuse so as not to come with him. Don't forget, Watson. You won't fail[11] me. You never did fail me. No doubt there are natural enemies which limit the increase[12] of the creatures. You and I, Watson, we have done our part. Shall the world, then, be overrun[13] by oysters? No, no; horrible! You'll convey all that is in your mind." I left him full of the image of this magnificent intellect babbling[14] like a foolish[15] child. He had handed me the key, and with a happy thought I took it with me lest[16] he should lock[17] himself in. Mrs. Hudson was waiting, trembling and weeping[18], in the passage. Behind me as I passed from the flat I heard Holmes's high, thin voice in some delirious chant[19].

---

1. **to wander** : 1. (ici) *divaguer, déraisonner.* 2. *vagabonder errer.* 3. *s'égarer.*

2. **brain** : 1. (ici) *cerveau, cervelle.* 2. *intelligence.*

3. **directions** : 1. (ici) *instructions.* 2. *mode d'emploi.*

4. **to plead** [pli:d] : 1. (ici) *plaider.* 2. *supplier*; *implorer.* 3. *invoquer*; *alléguer.*

5. **feeling** : *sentiments*, rendu ici par *contacts.*

6. **suspicions** : 1. (ici) *soupçon*; *suspicion.* 2. (trace) *soupçon, pointe.*

7. **foul play** : 1. (ici) *meurtre*; *acte criminel.* 2. *jeu irrégulier.*

8. **to have a grudge** : *en vouloir à*; **grudge**, *rancune, ressentiment*; *animosité.*

9. **to soften** : 1. (ici) *calmer.* 2. *soulager.*

10. **any means** : *n'importe quel moyen.*

11. **to fail** : 1. (ici) *faire défaut*; *décevoir.* 2. *échouer.* 3. *tomber en panne.* 4. *faire faillite.*

— Ah, je divague ! Étrange comme le cerveau contrôle le cerveau ! Qu'est ce que je disais, Watson ?

— Mes instructions pour M. Culverton Smith.

— Ah oui je me souviens. Ma vie en dépend. Plaidez auprès de lui, Watson. Il n'y a pas de bons contacts entre nous. Son neveu, Watson... Je soupçonnais un acte criminel et je lui ai permis de le constater. Le garçon est mort de façon horrible. Il m'en veut. Vous le calmerez, Watson. Suppliez-le, priez-le, amenez-le ici par n'importe quel moyen. Il peut me sauver... lui seul !

— Je l'amènerai dans un fiacre, même si je dois l'y porter.

— Vous ne ferez rien de la sorte. Vous le persuaderez de venir. Et puis vous serez de retour avant lui. Trouvez n'importe quelle excuse pour ne pas venir avec lui. N'oubliez pas, Watson. Vous ne me ferez pas défaut. Vous ne m'avez jamais fait défaut. Il y a sans doute des ennemis naturels qui limitent la croissance de ces créatures. Vous et moi, Watson, nous avons fait notre part. Le monde sera-t-il envahi par des huîtres ? Non, non ; horrible ! Vous lui transmettrez tout ce que vous avez en tête.

Je le quittai empli de l'image de cette magnifique intelligence babillant comme un enfant idiot. Il m'avait remis la clé et, avec une pensée heureuse, je la pris de peur qu'il ne s'enferme avec. Mme Hudson attendait dehors, tremblante et en larmes. Derrière moi en sortant de l'appartement, j'entendis la voix aiguë et fragile dans une psalmodie délirante.

---

12. **increase** : *croissance* ; *augmentation* ; *accroissement*.
13. **to overrun, overran, overrun** : 1. (ici) *envahir*. 2. *dépasser*.
14. **to babble** : 1. (ici) *babiller*. 2. *bredouiller*.
15. **foolish** : 1. (ici) *idiot(e)* ; *bête*. 2. *insensé(e)* ; *imprudent(e)*.
16. **lest** : conj. lit. *de peur que*.
17. **to lock** : 1. (ici) *fermer à clé* ; *enfermer*. 2. (freins) *se bloquer*.
18. **to weep, wept, wept** : 1. (ici) *pleurer*. 2. *suinter, suer*.
19. **chant** [tʃɑːnt] : 1. (ici) *psalmodie* ; *mélopée*. 2. *chant*.

Below, as I stood whistling[1] for a cab, a man came on me through the fog.

"How is Mr. Holmes, sir?" he asked.

It was an old acquaintance[2], Inspector Morton, of Scotland Yard, dressed in unofficial tweeds[3].

"He is very ill," I answered.

He looked at me in a most singular fashion. Had it not been too fiendish[4], I could have imagined that the gleam[5] of the fanlight[6] showed exultation in his face.

"I heard some rumour[7] of it," said he.

The cab had driven up, and I left him. Lower Burke Street proved to be a line of fine houses lying in the vague borderland between Notting Hill[8] and Kensington[9]. The particular one at which my cabman pulled up[10] had an air of smug[11] and demure[12] respectability in its old-fashioned[13] iron railings[14], its massive folding-door[15], and its shining brasswork[16] All was in keeping[17] with a solemn butler[18] who appeared framed[19] in the pink radiance[20] of a tinted electrical light behind him.

"Yes, Mr. Culverton Smith is in. Dr. Watson! Very good, sir, I will take up your card." My humble name and title did not appear to impress Mr. Culverton Smith. Through the half-open door I heard a high, petulant[21], penetrating voice.

"Who is this person? What does he want?

---

1. **to whistle** : 1. (ici) *héler*. 2. *siffler, siffloter*.

2. **acquaintance** : *connaissance, relation*.

3. **in unofficial tweeds** : m. à m. *dans de non officiels pantalons de tweed* c.à.d. *en civil* (pas en uniforme).

4. **fiendish** : 1. (ici) *diabolique, démoniaque*. 2. *atroce ; abominable*.

5. **gleam** : 1. (ici) *lueur*. 2. *miroitement*.

6. **fanlight** : *vasistas ; imposte*.

7. **rumour**, (US) **rumor** : *rumeur*.

8. **Notting Hill** : quartier de Londres dans le district de Kensington au nord-ouest de Hyde Park, secteur à la mode avec un célèbre carnaval.

9. **Kensington** : quartier résidentiel de Londres ayant abrité de nombreux écrivains, G.K. Chesterton, Agatha Christie, Henry James, Virginia Woolf.

10. **to pull up** : (véhicule) *s'arrêter* à un endroit qu'on précise. **The car pulled up in front of a bakery** : *La voiture s'est arrêtée devant une boulangerie*.

En bas, alors que je hélais un fiacre, un homme vint vers moi dans le brouillard.

— Comment va M. Holmes, monsieur ? demanda-t-il.

C'était une vieille connaissance, l'inspecteur Morton, de Scotland Yard, habillé en civil.

— Il est très malade, répondis-je.

Il me regarda d'une des plus singulières manières. Si cela n'avait pas été trop diabolique, j'aurais pu imaginer que la lueur d'un vasistas montrait de l'exultation sur son visage.

— J'ai entendu des rumeurs à ce propos, dit-il.

Le fiacre était arrivé et je le quittai.

Lower Burke Street se révéla être un alignement de belles maisons se trouvant entre Notting Hill et Kensington. Celle en particulier devant laquelle mon cocher s'arrêta avait un air de suffisance affectée, avec ses balustrades d'autrefois en fer forgé, sa porte massive en accordéon et ses cuivres brillants. Tout cela était en harmonie avec le majordome qui apparut se découpant dans le flux lumineux rose d'une lampe électrique derrière lui.

— Oui, M. Culverton Smith est là. Docteur Watson ! Très bien, monsieur, je vais prendre votre carte.

Mon nom et mon titre ne parurent pas impressionner M. Culverton Smith. À travers la porte entrouverte, j'entendis une voix aiguë, grincheuse, pénétrante.

— Qui est cette personne ? Que veut-elle ?

---

11. **smug** : *suffisant(e), content(e) de soi.*

12. **demure** [dɪ'mjʊəʳ] : 1. (ici, péj.) *d'une modestie affectée.* 2. *pudique, modeste.*

13. **old-fashioned** : 1. (ici) *d'autrefois ; ancien(ne).* 2. *suranné(e), périmé(e).*

14. **railings** : 1. (ici) *balustrade.* 2. *rampe ; barreau ; garde-fou.*

15. **folding-door** : *porte accordéon.*

16. **shining brasswork** : *cuivres brillants.*

17. **in keeping** : 1. (ici) *en harmonie avec.* 2. *en conformité avec.* 3. *eu égard.*

18. **butler** : 1. (ici) *majordome.* 2. *maître d'hôtel.*

19. **framed** : m. à m. *encadré* rendu par *se découpant.*

20. **radiance** : *flux lumineux ; rayonnement.*

21. **petulant** : *grincheux (euse) ; irrité(e).*

"Dear me, Staples, how often have I said that I am not to be disturbed in my hours of study?"

There came a gentle[1] flow of soothing[2] explanation from the butler.

"Well, I won't see him, Staples. I can't have my work interrupted like this. I am not at home. Say so. Tell him to come in the morning if he really must see me."

Again the gentle murmur.

"Well, well, give him that message. He can come in the morning, or he can stay away. My work must not be hindered.[3]"

I thought of Holmes tossing upon his bed of sickness and counting the minutes, perhaps, until I could bring help to him. It was not a time to stand upon ceremony[4]. His life depended upon my promptness. Before the apologetic[5] butler had delivered[6] his message I had pushed past him and was in the room. With a shrill[7] cry of anger[8] a man rose from a reclining chair[9] beside the fire. I saw a great yellow face, coarse-grained[10] and greasy[11], with heavy, double-chin, and two sullen[12], menacing gray eyes which glared[13] at me from under tufted[14] and sandy[15] brows. A high bald[16] head had a small velvet smoking-cap[17] poised[18] coquettishly upon one side of its pink curve[19].

---

1. **gentle** : *doux, douce; léger, légère.*
2. **to soothe** : *apaiser; calmer; tranquilliser; réconforter.*
3. **hindered** : *entravé(e); gêné(e); empêché(e).*
4. **to stand upon ceremony** : *faire des cérémonies; faire des manières;*
5. **apologetic** : 1. (ici) *contrit(e).* 2. (lettre) *d'excuse.*
6. **to deliver** : 1. (ici) *remettre; livrer.* 2. *délivrer.* 3. (discours) *prononcer.*
7. **shrill** : *aigu(ë); perçant(e); strident(e).*
8. **anger** : *colère; fureur.*
9. **reclining chair** : *fauteuil inclinable; chaise longue.*
10. **coarse-grained** : 1. (ici) *grumeleux (euse).* 2. *à gros grain.*

— Mon Dieu, Staples, combien de fois ai-je dit que je ne devais pas être dérangé pendant mes heures d'étude ?

Un doux flux de paroles apaisantes sortit de la bouche du majordome.

— Eh bien, je ne le verrai pas, Staples. Je ne peux avoir mon travail interrompu comme cela. Je ne suis pas chez moi. Dites cela. Dites-lui de venir le matin s'il doit réellement me voir.

À nouveau le doux murmure.

— Bien, bien, passez-lui ce message. Il peut venir le matin, ou il peut ne pas venir. Mon travail ne doit pas être entravé.

Je pensai à Holmes s'agitant sur son lit de malade, et comptant les minutes, peut-être, jusqu'au moment où je pourrais lui apporter de l'aide. Ce n'était pas le moment de faire des manières. Sa vie dépendait de ma rapidité. Avant que le majordome contrit m'eût remis son message, je l'avais écarté et étais dans la pièce. Avec un cri aigu de colère, un homme se leva d'un fauteuil inclinable à côté du feu. Je vis un grand visage jaune, à la peau grasse et grumeleuse, avec un lourd double menton et deux yeux maussades et menaçants qui me regardaient avec colère sous des sourcils brun-roux broussailleux. Un haut crâne chauve portait une petite toque en velours coquettement posée sur un de ses côtés roses et arrondis.

---

11. **greasy** : 1. (ici) *gras(se)* ; *graisseux (euse)*. 2. *crasseux (euse)*. 3. *obséquieux (euse)*.

12. **sullen** : 1. (ici) *maussade, renfrogné(e)*. 2. (nuages) *menaçant(e)*.

13. **to glare** : 1. (ici) *regarder avec colère*. 2. *briller d'un éclat éblouissant*.

14. **tufted** : 1. (ici) *broussailleux (euse)*. 2. *touffeté(e)*.

15. **sandy** : 1. (ici) *blond(e), roux, rousse* ; *sable*. 2. *sablonneux (euse)*.

16. **bald** : 1. (ici) *chauve*. 2. (tapis) *usé(e)*. 3. **bold truth**, *pure vérité*.

17. **smoking-cap** : *calotte*.

18. **poised** : 1. (ici) *posée*. 2. *suspendu(e)*. 3. *prêt(e)*.

19. **curve** : *courbe* rendu ici par *arrondi*.

The skull[1] was of enormous capacity, and yet as I looked down I saw to my amazement that the figure of the man was small and frail[2], twisted in the shoulders and back like one who has suffered from rickets[3] in his childhood.

"What's this?" he cried in a high, screaming voice[4]. "What is the meaning of this intrusion? Didn't I send you word that I would see you to-morrow morning?"

"I am sorry," said I, "but the matter cannot be delayed[5]. Mr. Sherlock Holmes – "

The mention of my friend's name had an extraordinary effect upon the little man. The look of anger passed[6] in an instant from his face. His features[7] became tense[8] and alert[9].

"Have you come from Holmes?" he asked.

"I have just left him."

"What about Holmes? How is he?"

"He is desperately ill[10]. That is why I have come."

The man motioned[11] me to a chair, and turned to resume his own[12]. As he did so I caught a glimpse[13] of his face in the mirror over the mantelpiece. I could have sworn[14] that it was set in a malicious and abominable smile[15]. Yet I persuaded myself that it must have been some nervous contraction which I had surprised, for he turned to me an instant later with genuine concern upon his features[16].

---

1. **skull** : *crâne.*

2. **frail** : 1. (ici) *fragile; frêle;* (santé) *délicat(e).* 2. *éphémère.*

3. **rickets** : *rachitisme.*

4. **he cried in a high screaming voice** : m. à m. *il cria en une forte hurlante voix,* rendu par *hurla-t-il au plus fort de sa voix.*

5. **to delay** : *retarder; reporter, remettre, différer.* 2. *tarder.*

6. **to pass in** : *disparaître.*

7. **features** ['fi:tʃərz] : 1. (ici) *traits.* 2. *caractéristique; particularité.* 3. (presse, radio, TV) *reportage, chronique.* 4. (cinéma) *long-métrage.*

8. **tense** : *tendu(e).*

9. **alert** : 1. (ici) *en éveil; vif, vive.* 2. *vigilant(e), sur le qui-vive.*

10. **he is desperately ill** : m. à m. *il est désespérément malade* rendu par *il est dans un état désespéré.*

Le crâne avait une énorme capacité, pourtant, en baissant les yeux, je vis avec étonnement, à sa silhouette, que l'homme était petit et fragile, les épaules et le dos tordus comme quelqu'un qui a souffert de rachitisme dans sa jeunesse.

— Qu'est-ce que c'est ? hurla-t-il au plus fort de sa voix. Que signifie cette intrusion ? Ne vous ai-je fait dire que je vous verrais demain matin ?

— Je suis désolé, dis-je, mais l'affaire ne peut être retardée. M. Sherlock Holmes...

La mention du nom de mon ami eut un effet extraordinaire sur le petit homme. Le regard coléreux disparut de son visage en un instant. Ses traits devinrent tendus et en éveil.

— Venez-vous de la part de Holmes ? demanda-t-il.

— Je viens de le quitter.

— Et à propos de Holmes ? Comment va-t-il ?

— Il est dans un état désespéré. C'est pourquoi je suis venu.

L'homme m'indiqua une chaise du doigt, et retourna vers la sienne. J'entrevis son visage dans le miroir au-dessus de la cheminée. J'aurais pu jurer qu'un sourire malveillant et abominable s'y dessinait. Cependant, je me persuadai que j'avais dû surprendre une contraction nerveuse car, un instant après, il se retourna vers moi avec un air authentiquement préoccupé.

---

11. **to motion to** : *faire signe à qqn de* rendu ici par *indiquer*.

12. **turned to resume his own** : m. à m. *tourna pour reprendre la sienne*, raccourci en *retourna vers la sienne*.

13. **to catch a glimpse** : *entrevoir, apercevoir*.

14. **sworn** : p. passé du verbe irrégulier **to swear, swore, sworne**, *jurer*.

15. **it was set in a malicious and abominable smile** : m. à m. *il* (son visage) *était figé en un malveillant et abominable sourire* rendu ici par *un sourire malveillant et abominable s'y dessinait*.

16. **with genuine concern upon his features**, m. à m. *avec authentique souci sur son visage*, rendu par *avec un air authentiquement préoccupé* ; **concern** : 1. (ici) *préoccupation* ; *souci* ; *inquiétude*. 2. *affaire* ; *firme*. 3. *intérêt*. 4. *truc, machin*.

"I am sorry to hear this," said he. "I only know Mr. Holmes through some business dealings[1] which we have had, but I have every[2] respect for his talents and his character. He is an amateur of crime[3], as I am of disease[4]. For him the villain[5], for me the microbe[6] There are my prisons," he continued, pointing to a row[7] of bottles and jars which stood upon a side table. "Among those gelatine cultivations some of the very worst offenders[8] in the world are now doing time."

"It was on account[9] of your special knowledge that Mr. Holmes desired to see you. He has a high opinion of you and thought that you were the one man in London who could help him."

The little man started, and the jaunty[10] smoking-cap slid[11] to the floor.

"Why?" he asked. "Why should Mr. Homes think that I could help him in his trouble[12]?"

"Because of your knowledge of Eastern diseases."

"But why should he think that this disease which he has contracted is Eastern?"

"Because, in some professional inquiry[13], he has been working among Chinese sailors down in the docks."

Mr. Culverton Smith smiled pleasantly and picked up[14] his smoking-cap.

"Oh, that's it – is it?" said he.

---

1. **dealings** : 1. (ici) *affaires*; *transactions*. 2. *opérations*. 3. (cartes) *donne*; *distribution*. 4. *trafic de drogue*.

2. **every** : 1. (ici) *tout* exprimant la confiance. 2. *tout(e)*; *chaque*. 3. (unité de mesure) **two other day**, *tous les deux jours*. 4. (avec un adjectif possessif) *chacun(e)*; *moindre* : **his every gestures**... *chacun de ses gestes*...

3. **crime** [kraɪm].

4. **disease** [dɪ'ziːz] : 1. (ici) *maladie*. 2. (sens fig.) *mal*; *maladie*; **avarice is his disease**, *l'avarice est sa maladie*.

5. **villain** ['vɪlən] : 1. (ici) *malfaiteur*; *bandit*. 2. *vaurien(ne)*; *traître*. 3. *coquin(e)*.

6. **microbe** ['maɪkrəʊb].

7. **row** : 1. (ici) *rangée*. 2. *rang*. 3. (bateau) *promenade*. 4. (GB) *rue*. 5. (GB) *dispute*. 6. *tapage*; *vacarme*.

— Je suis désolé d'apprendre cela, dit-il. Je ne connais M. Holmes qu'à travers quelques affaires que nous avons traitées, mais j'ai tout le respect pour son talent et sa personnalité. C'est un amateur de crimes, comme j'en suis un de maladies. Pour lui les malfaiteurs, pour moi les microbes. Ce sont mes prisons, ajouta-t-il en me montrant une rangée de bouteilles et de flacons posés sur une petite table. Parmi ces cultures de gélatine, quelques-uns des pires délinquants de ce monde purgent leur peine.

— C'est du fait de vos connaissances particulières que M. Holmes désirait vous voir. Il a une haute opinion de vous, et a pensé que vous étiez le seul homme à Londres qui pourrait l'aider.

Le petit homme sursauta et la coquette calotte glissa sur le parquet.

— Pourquoi ? demanda-t-il. Pourquoi M. Holmes pense-t-il que je pourrais l'aider dans son problème ?

— À cause de vos connaissances des maladies orientales.

— Mais pourquoi devrait-il penser que la maladie qu'il a contractée est orientale ?

— Parce que, lors d'une enquête professionnelle, il a travaillé avec des marins chinois sur les docks.

M. Culverton Smith sourit aimablement et ramassa sa calotte.

— Ah, c'est cela... n'est-ce pas ?

---

8. **offender** : *délinquant(e).*

9. **on account of** : *du fait de* ; *à cause de* ; *en raison de.*

10. **jaunty** : 1. (ici) *coquette.* 2. *enjoué(e).* 3. *désinvolte.*

11. **slid** : prétérit du verbe irrégulier **to slide, slid, slid,** *glisser*

12. **trouble** ['trʌbl] : *ennui* ; *problème* ; *souci.* 2. *difficulté.* 3. *mal, peine.* 4. *défaut.* 5. *conflit.*

13. **inquiry** [ɪn'kwaɪərɪ] : 1. (ici) *enquête.* 2. *demande de renseignements.*

14. **to pick up** : 1. (ici) *ramasser.* 2. *prendre.* 3. *venir chercher.* 4. *apprendre.* 5. *glaner* ; *dénicher.* 6. (maladie) *attraper.* 7. (arrêter) *pincer.* 8. *draguer.* 9. (son ; odeur) *détecter.* 10. (radio) *capter.* 11. (santé) *requinquer.*

"I trust[1] the matter is not so grave[2] as you suppose. How long has he been ill?"

"About three days."

"Is he delirious?"

"Occasionally."

"Tut, tut! This sounds[3] serious[4]. It would be inhuman not to answer his call. I very much resent[5] any interruption to my work, Dr. Watson, but this case is certainly exceptional. I will come with you at once."

I remembered Holmes's injunction[6].

"I have another appointment[7]," said I.

"Very good. I will go alone. I have a note of Mr. Holmes's address. You can rely upon[8] my being[9] there within half an hour[10] at most."

It was with a sinking heart[11] that I reentered[12] Holmes's bedroom. For all that I knew the worst might have happened in my absence. To my enormous relief, he had improved[13] greatly in the interval. His appearance was as ghastly[14] as ever[15], but all trace of delirium had left him and he spoke in a feeble[16] voice, it is true, but with even more than his usual crispness[17] and lucidity.

"Well, did you see him, Watson?"

"Yes; he is coming."

"Admirable, Watson! Admirable! You are the best of messengers."

---

1. **to trust** : 1. (ici) *croire*; *penser*. 2. *faire confiance à, avoir confiance*; *se fier à*; **to trust that,** *être confiant, espérer que, être convaincu que*. 3. *confier*. 4. *supposer*; *espérer*. 5. v.i. *croire*, **to trust in God**, *croire en Dieu*.

2. **grave** [greɪv].

3. **to sound** : 1. (ici) *sembler, paraître*. 2. *sonner, résonner, retentir*. 4. *prononcer*. 5. *ausculter*; *sonder*.

4. **serious** ['sɪərɪəs].

5. **to resent** : 1. (ici) *ne pas apprécier*. 2. *en vouloir à*; *éprouver de la rancune*.

6. **injunction** : 1. (ici) *recommandation*; *injonction*. 2. jur. *ordonnance*.

7. **appointment** : 1. (ici) *rendez-vous*. 2. *nomination*; *désignation*.
▶ Attention le français *appointements* : **salary**.

8. **to rely upon** : 1. *compter sur*. 2. (jur.) *invoquer*.

9. **my being** : notez ici la forme dite « nom verbal », construite en ajoutant –**ing** à l'infinitif sans **to**, m. à m. *mon fait d'être*, rendu ici par *ma présence*.

— Je pense que l'affaire n'est pas si grave que vous le supposez. Depuis combien de temps est-il malade ?

— Environ trois jours.

— Est-ce qu'il délire ?

— Occasionnellement.

— Allons, allons ! Cela semble sérieux. Ce serait inhumain de ne pas répondre à son appel. Je n'apprécie pas du tout toute interruption dans mon travail, docteur Watson, mais ce cas est certainement exceptionnel. Je viens avec vous tout de suite.

Je me remémorai la recommandation de Holmes.

— J'ai un autre rendez-vous, dis-je.

— Très bien, j'irai seul. J'ai une note avec l'adresse de M. Holmes. Vous pouvez compter sur ma présence dans moins d'une demi-heure.

Ce fut avec un cœur serré que je revins dans la chambre de Holmes. Pour tout ce que j'en savais, le pire aurait pu se produire en mon absence. À mon grand soulagement, son état s'était considérablement amélioré en mon absence. Son aspect était toujours aussi spectral, mais toute trace de délire avait disparu et il parlait d'une voix faible, c'est vrai, mais avec encore plus de son habituelle rigueur et lucidité.

— Bien, l'avez-vous vu, Watson ?

— Oui ; il arrive.

— Admirable, Watson ! Admirable ! Vous êtes le meilleur des messagers.

---

10. **within half an hour** : *en moins d'une demi-heure.*

11. **a sinking heart** : m. à m. *un cœur s'effondrant* rendu ici par *un serrement de cœur.*

12. **to reenter** : 1. (ici) *revenir* ; *entrer à nouveau.* 2. *se réinscrire.* 3. (ordinateur) *saisir à nouveau.*

13. **to improve** : 1. *s'améliorer* ; *faire des progrès.* 2. *améliorer* ; *augmenter.*

14. **ghastly** : 1. (ici) *effrayante.* 2. (crime) *atroce* ; *épouvantable.* 3. *blême* ; *blafard(e)* ; *livide.* 4. *sérieux (euse)* ; *grave.*

15. **as ever** : *toujours aussi.*

16. **feeble** [fi:bl].

17. **crispness** : 1. (ici) *rigueur* ; *clarté.* 2. (style) *précision.* 3. *brusquerie.* 4. (temps) *fraîcheur.*

"He wished to return with me."

"That would never do[1], Watson. That would be obviously[2] impossible. Did he ask what ailed[3] me?"

"I told him about the Chinese[4] in the East End."

"Exactly! Well, Watson, you have done all that a good friend could. You can now disappear[5] from the scene[6]."

"I must wait and hear his opinion, Holmes."

"Of course you must. But I have reasons to suppose that this opinion would be very much more frank and valuable if he imagines that we are alone. There is just room[7] behind the head of my bed, Watson."

"My dear Holmes!"

" I fear there is no alternative, Watson. The room does not lend itself[8] to concealment[9], which is as well, as it is the less likely[10] to arouse[11] suspicion. But just there, Watson, I fancy that it could be done."

Suddenly he sat up with a rigid[12] intentness[13] upon his haggard face.

"There are the wheels, Watson. Quick, man, if you love me! And don't budge, whatever happens – whatever happens, do you hear? Don't speak! Don't move! Just listen with all your ears." Then in an instant his sudden access of strength departed[14], and his masterful, purposeful[15] talk droned away[16] into the low, vague murmurings of a semi-delirious man.

---

1. **That would never do** : m. à m. *Ça n'irait jamais* rendu ici par *C'était hors de question*.

2. **obviously** : ɪ. (ici) *de toute évidence, évidemment*. 2. *manifestement*.

3. **to ail** : ɪ. (ici) *être souffrant*. 2. **what ails you?** *quelle mouche vous a piqué ?*

4. **Chinese** [tʃaɪˈniːz].

5. **to disppear** : ɪ. (ici) *disparaître*. 2. *s'aplanir* ; *s'estomper* ; *s'effacer* ; *tomber en désuétude*.

6. **scene** [siːn].

7. **room** : ɪ. *place*. 2. *chambre* ; *pièce* ; *salle*. 3. (gens dans la salle) *salle*.

8. **to lend itself to** : ɪ. (ici) *se prêter à*. 2. *prêter*. 3. *apporter* ; *conférer*.

9. **concealment** : ɪ. (ici) *cachette*. 2. *dissimulation* ; *non divulgation*. 3. *recel*.

— Il souhaitait revenir avec moi.

— C'était hors de question, Watson. Ce serait de toute évidence impossible. Est-ce qu'il a demandé de quoi je souffrais ?

— Je lui ai parlé des Chinois de l'East End.

— Exactement ! Bien, vous avez fait tout ce qu'un bon ami pouvait faire. Vous pouvez disparaître de la scène maintenant.

— Je dois attendre et écouter son opinion, Holmes.

— Bien sûr, vous devez. Mais j'ai des raisons de supposer que cette opinion serait beaucoup plus franche et valable s'il s'imagine que nous sommes seuls. Il y a de la place juste derrière la tête de mon lit.

— Mon cher Holmes !

— Je crains qu'il n'y ait pas d'alternative, Watson. La chambre ne se prête pas aux cachettes, ce qui est aussi bien car elle est moins susceptible d'éveiller des soupçons. Mais juste là, Watson, je crois que cela pourrait se faire.

Il se redressa avec une détermination inflexible sur son visage hagard.

— Les roues sont là, Watson. Vite, ami, si vous m'aimez ! Et ne bougez pas, quoi qu'il arrive – quoi qu'il arrive, vous m'entendez ? Ne parlez pas ! Ne bougez pas ! Écoutez juste de toutes vos oreilles.

Puis, en un instant, son subit accès de vigueur disparut et sa parole magistrale et déterminée se dilua en de vagues et bas murmures d'un homme à moitié délirant.

---

10. **likely** : 1. (ici) *susceptible*. 2. *probable*. 3. *plausible, vraisemblable*. 4. *prometteur*.

11. **to arouse** : 1. (ici) *éveiller*. 2. *réveiller*. 3. *stimuler*.

12. **rigid** : 1. (ici) *inflexible*. 2. *raide ; rigide*. 3. *sévère ; stricte*.

13. **intentness** : 1. (ici) *détermination*. 2. *intention*. 3. *volonté*. 4. *concentration*.

14. **to depart** : 1. (ici) *disparaître*. 2. *quitter ; partir*. 3. *s'écarter*.

15. **purposeful** : *déterminé(e) ; résolu(e) ; réfléchi(e)*.

16. **droned away** : m. à m. *psalmodia* rendu par *se dilua en....* ; 1. (ici) *psalmodier ; radoter*. 2. *bourdonner ; ronronner ; vrombir*.

From the hiding-place[1] into which I had been so swiftly[2] hustled[3] I heard the footfalls[4] upon the stair, with the opening and the closing of the bedroom door. Then, to my surprise[5], there came a long silence, broken only by the heavy[6] breathings[7] and gaspings[8] of the sick man. I could imagine that our visitor was standing by the bedside and looking down at the sufferer[9]. At last that strange hush[10] was broken.

"Holmes!" he cried. "Holmes!" in the insistent tone of one who awakens[11] a sleeper[12]. "Can't you hear me, Holmes?" There was a rustling[13], as if he had shaken[14] the sick man roughly[15] by the shoulder[16].

"Is that you, Mr. Smith?" Holmes whispered[17]. "I hardly dared hope that you would come."

The other laughed.

"I should imagine not," he said. "And yet, you see, I am here. Coals of fire, Holmes – coals of fire[18]!"

"It is very good of you – very noble of you. I appreciate your special knowledge."

Our visitor sniggered[19].

"You do. You are, fortunately, the only man in London who does. Do you know what is the matter with you?"

"The same," said Holmes.

"Ah! You recognize the symptoms?"

"Only too well."

---

1. **hiding-place** : *cachette* ; **to hide, hid, hidden**, *cacher* ; *se cacher*.

2. **swiftly** : *rapidement* ; *promptement*.

3. **to hustle** : 1. (ici) *expédier* ; *pousser*. 2. (GB) *bousculer*. 3. *faire tout pour avoir* ; *magouiller*. 3. (US) *arnaquer, rouler* ; *piquer*. 4. (US) *tapiner*.

4. **footfall** : *bruit de pas*.

5. **surprise** [sə'praɪz].

6. **heavy** : 1. (ici) *lourd(e)*. 2. *chargé(e)*. 3. *important(e)*. 4. (qui consomme de grandes quantités) **she's a heavy smoker**, *elle fume beaucoup*. 5. *gros(se)* ; *gras(se)*. 6. *costaud*. 7. (nouvelle) *grave*. 8. *indigeste*. 9. *pénible*.

7. **breathings** : *respiration, souffle*.

8. **gaspings** : *halètements*.

9. **sufferer** : 1. (ici) *malade* ; *patient(e)*. 2. *victime*.

10. **hush** : *silence* ; **hush !** *chut !, silence !*

11. **to awaken** : *réveiller* ; *éveiller* ; *se réveiller*. ▶ Attention : ne pas

Depuis la cachette où j'avais été si promptement expédié, j'entendis les bruits de pas dans l'escalier, suivis de ceux de l'ouverture et de la fermeture de la porte de la chambre. Puis, à ma surprise vint un long silence, interrompu uniquement par la respiration lourde et les halètements du malade. Je pouvais imaginer que notre visiteur était debout près du lit et regardait le patient. Finalement cet étrange silence fut rompu.

— Holmes ! s'écria-t-il, avec le ton insistant de celui qui réveille un dormeur. Ne pouvez-vous pas m'entendre, Holmes ?

Il y eut un bruissement, comme s'il avait secoué rudement le malade par l'épaule.

— Est-ce vous, monsieur Smith ? chuchota Holmes. J'osais à peine espérer que vous viendriez.

L'autre se mit à rire.

— J'aurais imaginé que non, dit-il. Et pourtant, vous le voyez, je suis là. Des charbons ardents, Holmes… des charbons ardents !

— C'est très bon de votre part – très noble de vous. J'apprécie votre particulière connaissance.

Notre visiteur ricana.

— Vous appréciez. Vous êtes, par bonheur, le seul homme à Londres dans ce cas. Savez-vous quel est votre problème ?

— La même chose, dit Holmes.

— Ah ! Vous reconnaissez les symptômes.

— Malheureusement trop bien.

---

confondre avec le verbe irrégulier **to awake, awoke, awoken**, *réveiller ; se réveiller ; prendre conscience ; faire naître* (espoir).

12. **sleeper** : 1. (ici) *dormeur (euse).* 2. (espion) *agent dormant.* 3. *train couchettes ; wagon-lit.*

13. **rustling** : 1. (ici) *bruissement.* 2. *frou-frou.* 3. *vol* (bétail).

14. **shaken** : p. passé du verbe irrégulier **to shake, shook, shaken**, 1. (ici) *secouer.* 2. *trembler ; frémir.* 3. *brandir.*

15. **roughly** : 1. (ici) *rudement ; brutalement.* 2. *sans soin.* 3. *approximativement ; à peu près.*

16. **shoulder** : 1. (ici) *épaule.* 2. (route) *accotement ; bas-côté.* 3. (montagne) *replat.*

17. **to whisper** : *chuchoter ; dire à voix basse.*

18. **coals of fire** : m. à m. *des charbons de feu.*

19. **to snigger** : *ricaner ; se moquer.*

"Well, I shouldn't be surprised, Holmes. I shouldn't be surprised if it WERE[1] the same. A bad lookout[2] for you if it is. Poor Victor was a dead man on the fourth day – a strong, hearty[3] young fellow. It was certainly, as you said, very surprising that he should have contracted an out-of-the-way[4] Asiatic disease in the heart of London – a disease, too, of which I had made such a very special study. Singular coincidence, Holmes. Very smart of you to notice it, but rather uncharitable[5] to suggest[6] that it was cause and effect."

"I knew that you did it."

"Oh, you did, did you? Well, you couldn't prove it, anyhow. But what do you think of yourself spreading[7] reports about me like that, and then crawling[8] to me for help the moment you are in trouble? What sort of a game[9] is that – eh?"

I heard the rasping[10], laboured[11] breathing of the sick man. "Give me the water!" he gasped.

"You're precious[12] near your end, my friend, but I don't want you to go till[13] I have had a word with you. That's why I give you water. There, don't slop it about[14]! That's right. Can you understand what I say?"

Holmes groaned[15].

"Do what you can for me. Let bygones be bygones[16]," he whispered. "I'll put the words out of my head – I swear I will. Only cure[17] me, and I'll forget it."

---

1. **if it WERE** : si *c'était*, les majuscules ici en anglais et l'italique en français indiquent une insistance.

2. **lookout** : 1. (ici) *perspective*. 2. *guet* ; *poste de guet*. 3. *observation*. 4. *vigie*. 5. *surveillance*.

3. **hearty** : *vigoureux (euse)* ; *robuste* ; *solide*. 2. *chaleureux (euse)* ; *cordial(e)* ; *sincère*. 3. *copieux (euse)* ; *abondant(e)*. 4. *absolu(e)*.

4. **out-of-the-way** : 1. *peu connu(e)*. 2. *écarté(e)* ; *isolé(e)* ; *peu fréquenté(e)*. 3. *insolite*.

5. **uncharitable** : *peu charitable* ; *manquant de charité*.

6. **to suggest** [sə'dʒest] : 1. (ici) *suggérer*. 2. *conseiller* ; *proposer* ; *recommander*. 4. *évoquer*.

7. **to spread, spread, spread** : 1. (ici) *répandre* ; *propager* ; *étaler*. 2. *déployer*. 3. *échelonner* ; *disperser*. 4. *s'étendre*.

8. **to crawl** : 1. (ici) *ramper*. 2. *avancer au ralenti*. 3. *grouiller*. 4. *se mettre à genoux, lécher les bottes*. 5. *nager le crawl*.

— Eh bien, je ne serais pas surpris, Holmes. Je ne serais pas surpris si *c'était* la même chose. Une mauvaise perspective pour vous si c'est le cas. Le pauvre Victor était mort le quatrième jour – un jeune homme vigoureux et solide. C'était certainement assez curieux, comme vous l'avez dit, qu'il ait contracté une maladie asiatique peu connue en plein Londres – une maladie, également, au sujet de laquelle j'avais fait une si particulière recherche. Singulière coïncidence, Holmes. Très astucieux de votre part de l'avoir remarqué, mais assez peu charitable de suggérer qu'il y ait un lien de cause à effet.

— Je savais que vous l'aviez fait.

— Oh, vous le saviez, n'est-ce pas ? Bien, vous ne pouviez le prouver, de toute façon. Mais que pensez-vous de vous-même, répandant des rumeurs me concernant, et qui ensuite venez ramper vers moi pour obtenir de l'aide au moment où vous êtes malade ? Quelle sorte de jeu est-ce là, hein ?

J'entendis la respiration rauque et pénible du malade.

— Donnez-moi de l'eau ! dit-il en haletant.

— Vous êtes très près de votre fin, mon ami, mais je ne veux pas que vous partiez avant d'avoir un mot avec vous. C'est pourquoi je vous donne de l'eau. Là, ne la renversez pas ! C'est bien. Pouvez-vous comprendre ce que je vous dis ?

Holmes gémit.

— Faites ce que vous pouvez pour moi. Passons l'éponge sur le passé, murmura-t-il. J'oublierai ce que j'ai dit ; c'est juré. Guérissez-moi seulement, et j'oublierai.

---

9. **game** : 1. (ici) *jeu.* 2. *partie.* 3. *ruse* ; *stratagème.* 4. (chasse) *gibier.*

10. **rasping** : *respiration rauque* ; *grinçante.*

11. **laboured** (US, **labored**) : (ici) *pénible, difficile.* 2. *laborieux (euse).*

12. **precious** ['preʃəs] : (ici, adv.) *très.*

13. **till** = **until** : 1. (ici) *avant que.* 2. *jusqu'à.*

14. **to slop about** : 1. (ici) *renverser.* 2. *éclabousser.* 3. *clapoter* ; *patauger.* 4. *traînasser.*

15. **to groan** : 1. (ici) *gémir.* 2. *grogner* ; *ronchonner.*

16. **let bygones be bygones** : *passons l'éponge* ; *oublions le passé* ; **bygone** : adj. *passé.*

17. **to cure** [kjʊəʳ] : 1. (ici) *guérir.* 2. (problème) *remédier à.* 3. *traiter* ; *saler.*

"Forget what?"

"Well, about Victor Savage's death[1]. You as good as admitted just now that you had done it. I'll forget it."

"You can forget it or remember it, just as you like. I don't see you in the witnessbox[2]. Quite another shaped box[3], my good Holmes, I assure you. It matters[4] nothing to me that you should know how my nephew[5] died. It's not him we are talking about. It's you."

"Yes, yes."

"The fellow who came for me – I've forgotten his name – said that you contracted it down in the East End among the sailors."

"I could only account for[6] it so."

"You are proud[7] of your brains[8], Holmes, are you not? Think yourself smart, don't you? You came across[9] someone who was smarter this time. Now cast your mind back[10], Holmes. Can you think of no other way you could have got this thing?"

"I can't think. My mind is gone. For heaven's sake help me!"

"Yes, I will help you. I'll help you to understand just where you are and how you got there. I'd like you to know[11] before you die."

"Give me something to ease[12] my pain."

"Painful, is it? Yes, the coolies used to do some squealing[13] towards the end. Takes you as cramp, I fancy."

---

1. **death** : *mort* ; *décès* ; **to be sick to death**, *en avoir ras le bol*.

2. **witnessbox** : *barre des témoins* ; m. à m. *la boîte des témoins* permettant un jeu de mots avec *box* dans la phrase suivante.

3. **quite another shaped box** : *une boîte d'une tout à fait autre forme*.

4. **to matter** : *importer* ;

5. **nephew** ['nefju:] : *neveu* ; **niece** [ni:s] : *nièce*.

6. **to account for** : 1. (ici) *expliquer* ; *rendre compte de*. 2. *représenter*. 3. *représenter*.

7. **proud** [praud] : 1. (ici) *fier, fière*. 2. *orgueilleux (euse)*. 3. (lit.) *majestueux (euse)* ; *altier (ière)*. 3. *qui dépasse*.

8. **brains** : *intelligence* (voir **brain** plus haut, p. 102, note 2).

— Oublier quoi ?

— Eh bien, au sujet de la mort de Victor Savage. Vous aviez pratiquement admis que vous l'aviez tué. Je l'oublierai.

— Vous pouvez l'oublier ou vous en souvenir, juste comme vous voulez. Je ne vous vois pas dans la barre des témoins. Plutôt dans une boîte d'une autre forme, mon bon Holmes, je vous l'assure. Cela ne m'importe en rien que vous sachiez comment est mort mon neveu. Ce n'est pas de lui que nous parlons. C'est de vous.

— Oui, oui.

— La personne qui est venue me voir – j'ai oublié son nom – m'a dit que vous l'avez contractée dans l'East End parmi les marins.

— C'est la seule façon dont je peux l'expliquer.

— Vous êtes fier de votre intelligence, Holmes, n'est-ce pas ? Vous pensez être malin, n'est-ce pas ? Vous êtes tombé sur plus malin que vous cette fois. Maintenant revenez en arrière, Holmes. Ne pouvez-vous penser à une autre occasion où vous auriez pu attraper cette chose ?

— Je ne peux pas penser. Mon esprit m'a quitté. Pour l'amour du ciel, aidez-moi.

— Oui, je vais vous aider. Je vais vous aider à comprendre juste où vous en êtes et comment vous en êtes arrivé là. J'aimerais que vous le sachiez avant de mourir.

— Donnez-moi quelque chose pour soulager ma douleur.

— C'est douloureux, n'est-ce pas ? Oui, les coolies poussaient des hurlements vers la fin. Cela vous prend comme une crampe, je crois.

---

9. **to come across** : 1. (ici) *tomber sur* ; *croiser* ; *tomber par hasard sur*. 2. *donner* ; *fournir*.

10. **to cast one's mind back** : *se reporter en arrière* ; *revenir en arrière*.

11. **I'd like you to know** : *j'aimerais que vous sachiez*, notez ici la construction dite <u>proposition infinitive</u>, où l'anglais utilise l'infinitif là où le français utilise le subjonctif ; on la rencontre après des verbes exprimant la volonté comme **to like** ; le verbe à l'infinitif, **to know**, possède un sujet, **you**, également complément du verbe **to like**.

12. **to ease** : *soulager*.

13. **squealings** : 1. (ici) *hurlement*. 2. *crissement*.

"Yes, yes; it is cramp."

"Well, you can hear what I say, anyhow. Listen now! Can you remember any unusual[1] incident in your life just about the time your symptoms began?"

"No, no; nothing."

"Think again."

"I'm too ill to think."

"Well, then, I'll help you. Did anything come by post?"

"By post?"

"A box by chance?"

"I'm fainting[2] – I'm gone!"

"Listen, Holmes!"

There was a sound[3] as if he was shaking[4] the dying man, and it was all that I could do to hold myself quiet[5] in my hiding-place.

"You must hear me. You SHALL[6] hear me. Do you remember a box – an ivory[7] box? It came on Wednesday. You opened it – do you remember?"

"Yes, yes, I opened it. There was a sharp spring[8] inside it. Some joke – "

"It was no joke[9], as you will find to your cost[10]. You fool[11], you would have it and you have got it. Who asked you to cross my path[12]? If you had left me alone I would not have hurt[13] you."

"I remember," Holmes gasped. "The spring! It drew blood[14]. This box – this on the table."

---

1. **unusual** [ʌnˈjuːʒʊəl].

2. **to faint** : *s'évanouir* ; *défaillir*.

3. **sound** [saʊnd] : 1. (ici) *bruit*. 2. *son*. 3. *style de musique*. 4. (méd.) *sonde*. 5. *détroit, bras de mer*.

4. Rappel : **to shake, shook, shaken**, *secouer*.

5. **to hold oneself quiet** : *se tenir tranquille*.

6. **You SHALL** : rappel, majuscule en anglais, italique en français.

7. **ivory** [ˈaɪvərɪ].

8. **spring** : 1. (ici) *ressort*. 2. *bond* ; *saut*. 3. *source*. 4. *élasticité*.

9. **joke** [dʒəʊk] : *plaisanterie*.

— Oui, oui ; c'est une crampe.

— Bien, vous pouvez quand même entendre ce que je dis. Écoutez maintenant. Pouvez-vous vous rappeler un incident inhabituel dans votre vie juste au moment où vos symptômes ont commencé ?

— Non, non, rien.

— Réfléchissez encore.

— Je suis trop fatigué pour réfléchir.

— Bon, alors, je vais vous aider. Est-ce que quelque chose est arrivé par la poste.

— Par la poste ?

— Une boîte, par hasard.

— Je m'évanouis... Je pars.

— Écoutez, Holmes !

Il y eut un bruit comme s'il secouait le mourant, et tout ce que je pouvais faire était de me tenir tranquille dans ma cachette.

— Vous *devez* m'écouter. Vous *m'écouterez*. Vous rappelez-vous une boîte – une boîte en ivoire ? Elle est arrivée mercredi. Vous l'avez ouverte – vous vous souvenez ?

— Oui, oui, je l'ai ouverte. Il y avait un ressort pointu à l'intérieur. Une plaisanterie...

— Ce n'était pas une plaisanterie, comme vous le découvrirez à vos dépens. Pauvre imbécile, vous vouliez l'avoir, et vous l'avez. Qui vous a demandé de vous mettre en travers de mon chemin ? Si vous m'aviez laissé tranquille, je ne vous aurais fait aucun mal.

— Je me souviens, haleta Holmes. Le ressort ! Il m'a fait saigner. Cette boîte – celle sur la table.

---

10. **to your cost** : m. à m. *à votre coût* rendu ici par *à vos dépens*.

11. **fool** : 1. (ici) *imbécile*, *idiot*, le **you** renforce l'injure que l'on rend par *pauvre imbécile*. 2. *bouffon*.

12. **to cross my path** : m. à m. *croiser mon chemin*, rendu ici par *se mettre en travers de mon chemin*.

13. **to hurt** : 1. (ici) *blesser* ; *faire mal*. 2. *faire de la peine*. 3. *nuire*. 5. *abîmer* ; *endommager*.

14. **it drew blood** : m. à m. *il m'a pris du sang*, rendu ici par *il m'a fait saigner*.

"The very one[1], by George[2]! And it may as well leave the room in my pocket. There goes your last shred[3] of evidence[4]. But you have the truth[5] now, Holmes, and you can die with the knowledge[6] that I killed you. You knew too much of the fate[7] of Victor Savage, so I have sent you to share it. You are very near your end, Holmes. I will sit here and I will watch you die[8]."

Holmes's voice had sunk to an almost inaudible whisper.

"What is that?" said Smith. "Turn up[9] the gas? Ah, the shadows[10] begin to fall[11], do they? Yes, I will turn it up, that I may see you the better." He crossed the room and the light suddenly brightened. "Is there any other little service that I can do you, my friend?"

"A match and a cigarette."

I nearly called out[12] in my joy and my amazement. He was speaking in his natural voice – a little weak, perhaps, but the very voice[13] I knew. There was a long pause, and I felt that Culverton Smith was standing in silent amazement looking down at his companion.

"What's the meaning of this[14]?" I heard him say at last in a dry, rasping[15] tone.

"The best way of successfully acting a part[16] is to be it," said Holmes.

---

1. **the very one** : *celle-là même* ; ici **very**, *même*, est adjectif.

2. **by George !** : expression datée, *mon Dieu ! sapristi !*

3. **shred** : 1. ici, *parcelle* (de vérité). 2. *lambeau*.

4. **evidence** : 1. (ici) *preuve* ; *évidence, témoignage.* 2. *signe* ; *marque.*

5. **truth** [tru:θ] : *vérité.*

6. **with the knowledge** : m. à m. *avec la connaissance* rendu par *en sachant.*

7. **fate** : [feɪt] : *destin* ; *sort.*

8. **I will watch you die** : *je vous regarderai mourir.* ▶ Rappel : infinitif sans **to** après les verbes de perception, ici **to see**.

9. **to turn up** : 1. (ici) *augmenter.* 2. *arriver* ; *venir* ; *réapparaître* ; **the gas** : 1. (ici) *gaz d'éclairage.* 2. (cuisine) *gaz.* 3. *grisou.* 4. (US) *essence.* 5. (GB, fam.) *bavardage.*

— Celle-là même, sapristi ! Et elle pourrait aussi bien quitter cette pièce dans ma poche. Là s'en va votre dernière parcelle de preuve. Mais maintenant vous avez la vérité, Holmes, et vous pouvez mourir en sachant que je vous ai tué. Vous en saviez trop sur le destin de Victor Savage, aussi je vous ai envoyé le partager. Vous êtes très proche de votre fin, Holmes. Et je vais m'asseoir et vous regarderai mourir.

La voix de Holmes s'était diluée en un chuchotement presque inaudible.

— Qu'est-ce que c'est ? Augmenter l'éclairage. Ah, les ombres commencent à tomber, hein ? Oui, je vais l'augmenter afin de mieux vous voir. Il traversa la pièce et la lumière brilla soudain. Y a-t-il un autre petit service que je puisse vous rendre, mon ami.

— Une allumette et une cigarette.

Je faillis pousser un cri de joie et de stupéfaction. Il parlait avec sa voix naturelle, un peu faible peut-être, mais la voix même que je connaissais.

Il y eut un long silence, et je sentais que Culverton Smith était debout, dans un silence stupéfait, en train de regarder son compagnon.

— Que signifie ceci ? l'entendis-je dire finalement, d'un ton sec et grinçant.

— Le meilleur moyen d'interpréter un rôle avec succès, c'est simplement d'être le personnage, dit Holmes.

---

10. **shadows** : 1. (ici) *ombres*. 2. *cerne*.

11. **to fall**, **fell**, **fallen** : 1. (ici) *tomber*. 2. *se laisser tomber*. 3. *s'écrouler*. 4. *s'écarter du droit chemin*. 5. *être renversé*. 6. *s'assombrir*.

12. **to call out** : *pousser un cri*.

13. **the very voice** : *la voix même*. ▶ note 1.

14. **what's the meaning of this** ? : m. à m. *quelle est la signification de ceci*, rendu ici par *que signifie ceci ?*

15. **rasping** : *grinçant(e)*.

16. **part** : 1. (ici) *rôle* ; *personnage*. 2. *partie* ; *part*. 3. *pièce*.

"I give you my word[1] that for three days I have tasted[2] neither food nor drink until you were good enough to pour[3] me out that glass of water. But it is the tobacco which I find most irksome[4]. Ah, here ARE some cigarettes."

I heard the striking[5] of a match.

"That is very much better. Halloa! halloa[6]! Do I hear the step of a friend?"

There were footfalls[7] outside, the door opened, and Inspector Morton appeared.

"All is in order and this is your man," said Holmes. The officer gave the usual cautions[8].

"I arrest you on the charge[9] of the murder of one Victor Savage," he concluded.

"And you might add of the attempted murder[10] of one Sherlock Holmes," remarked my friend with a chuckle[11]. "To save an invalid trouble, Inspector, Mr. Culverton Smith was good enough to give our signal by turning up the gas[12]. By the way, the prisoner has a small box in the right-hand pocket of his coat which it would be as well to remove[13]. Thank you. I would handle[14] it gingerly[15] if I were you. Put it down here. It may play its part in the trial[16]."

There was a sudden rush and a scuffle[17], followed by the clash of iron[18] and a cry of pain.

"You'll only get yourself hurt," said the inspector. "Stand still, will you?"

---

1. to give one's word : *donner sa parole.*
2. to taste : 1. (ici) *avaler*; *manger.* 2. *goûter.*
3. to pour : 1. (ici) *servir*; *verser.* 2. *se déverser*; *couler.* 3. *affluer.* 4. *pleuvoir à verse.*
4. irksome : *irritant(e)*; *agaçant(e).*
5. striking : 1. (ici) *craquement.* 2. *sonnerie.*
6. halloa! : *taïaut.*
7. footfalls : *bruits de pas.*
8. cautions : 1. (ici) *sommations.* 2. *avertissement.* 3. *circonspection.*
9. charge : 1. (ici) *chef d'accusation*; *inculpation.* 2. *frais.* 3. *mission.* 4. *charge.*

— Je vous donne ma parole que depuis trois jours je n'ai avalé ni nourriture ni boisson jusqu'à ce que vous ayez eu la bonté de me servir ce verre d'eau. Mais c'est pour le tabac que j'ai trouvé ça le plus ennuyeux. Ah, *voilà* des cigarettes.

J'entendis le craquement d'une allumette.

— Ça va beaucoup mieux. Taïaut ! Taïaut ! Est-ce que j'entends le pas d'un ami ?

Il y eut des bruits de pas au-dehors, la porte s'ouvrit, et l'inspecteur Morton apparut.

— Tout est en ordre et voici votre homme, dit Holmes.

L'inspecteur récita les formules habituelles.

— Je vous arrête sous l'inculpation du meurtre du dénommé Victor Savage, conclut-il.

— Et vous pouvez ajouter la tentative de meurtre sur un dénommé Sherlock Holmes, remarqua mon ami avec un petit rire. Pour épargner des soucis à un invalide, inspecteur, M. Culverton Smith a eu la bonté de donner notre signal en augmentant la lumière. À propos, le prisonnier a une petite boîte dans la poche droite de son manteau qu'il serait bien de retirer. Merci. Je la manipulerais avec précaution à votre place. Posez là ici. Elle pourrait jouer son rôle au procès.

Il y eut une soudaine bousculade et une bagarre, suivie d'un choc métallique et d'un cri de douleur.

— Vous ne ferez que vous blesser, dit l'inspecteur. Restez tranquille, voulez-vous ?

---

10. **attempted murder** : *tentative de meurtre.*
11. **chuckle** : *gloussement* ; *petit rire.*
12. **turning up the gas** : *augmentant la lumière.*
13. **to remove** : *retirer.*
14. **to handle** : *manipuler.*
15. **gingerly** : 1. *avec circonspection* ; *avec précaution.* 2. *délicatement.*
16. **trial** : 1. (ici) *procès.* 2. *essai.* 3. *épreuve.*
17. **scuffle** : 1. (ici) *bagarre.* 2. *piétinement.*
18. **clash of iron** : *choc métallique.*

There was the click[1] of the closing handcuffs[2].

"A nice trap[3]!" cried the high, snarling[4] voice. "It will bring YOU[5] into the dock[6], Holmes, not me. He asked me to come here to cure him. I was sorry for him and I came. Now he will pretend[7], no doubt, that I have said anything which he may invent which will corroborate[8] his insane[9] suspicions. You can lie as you like, Holmes. My word is always as good as yours."

"Good heavens!" cried Holmes. "I had totally forgotten him. My dear Watson, I owe[10] you a thousand apologies[11]. To think that I should have overlooked[12] you! I need not introduce[13] you to Mr. Culverton Smith, since I understand that you met somewhat earlier in the evening. Have you the cab below? I will follow you when I am dressed[14], for I may be of some use at the station.

"I never needed it more," said Holmes as he refreshed[15] himself with a glass of claret[16] and some biscuits in the intervals of his toilet. "However, as you know, my habits are irregular, and such a feat[17] means less to me than to most men. It was very essential that I should impress Mrs. Hudson with the reality of my condition, since she was to convey it to you, and you in turn to him. You won't be offended, Watson?

---

1. **click** : 1. (ici) *cliquetis* ; *petit bruit sec* ; *déclic*. 2. (mécan.) *cliquet*. 3. (phon.) *clic*. 4. (langue) *claquement*.

2. **handcuffs** : *menottes*.

3. **trap** : 1. (ici) *piège* ; *traquenard*. 2. *trappe* ; *collet*. 3. *gueule*.

4. **snarling** : 1. (ici) *hargneux (euse)*. 2. *grondant(e)*.

5. **YOU** : rappel, majuscule en anglais, italique en français.

6. **dock** : 1. (ici) *banc des accusés*. 2. *bassin* ; *dock*.

7. **to pretend** [prɪ'tend] : 1. (ici) *prétendre*. 2. *faire semblant*.

8. **to corroborate** : *corroborer* ; *confirmer*.

9. **insane** : 1. (ici) *insensé(e)* ; *fou, folle*. 2. *aliéné(e)*.

10. **to owe** : 1. (ici) *devoir*. 2. *être endetté(e)*.

11. **apology** : *excuse*.

Il y eut le cliquetis des menottes qui se refermaient.

— Un joli piège ! cria la forte voix hargneuse. Cela *vous* conduira au banc des accusés, Holmes, pas moi. Il m'a demandé de venir ici pour le soigner. J'étais désolé pour lui et je suis venu. Maintenant il va sans doute prétendre que j'ai dit quelque chose qu'il peut inventer qui corroborera ses soupçons insensés. Vous pouvez mentir comme il vous plaira, Holmes. Ma parole vaut autant que la vôtre.

— Grand Dieu ! s'écria Holmes. Je l'avais totalement oublié. Mon cher Watson, je vous dois mille excuses. Penser que je vous aurais oublié ! Je n'ai pas besoin de vous présenter à M. Culverton Smith, puisqu'il me semble que vous vous êtes quelque peu rencontrés plus tôt dans la soirée. Votre fiacre est-il en bas ? Je vous suivrai quand je serai habillé, car je pourrais vous être utile au poste de police.

— Je n'en ai jamais eu tant besoin, dit Holmes en se revigorant avec un verre de bordeaux et quelques biscuits, tout en faisant sa toilette. Cependant, comme vous le savez, mes habitudes sont irrégulières, et une telle prouesse m'a coûté moins qu'à la plupart des gens. Il était tout à fait essentiel que je fasse impression sur Mme Hudson sur la réalité de mon état, puisqu'elle devait vous la transmettre, et vous à votre tour en parler à notre homme. Vous ne m'en voudrez pas, Watson ?

---

12. **to overlook (ici)** : *oublier ; négliger ; laisser passer.* 2. *fermer les yeux sur.* 3. *surveiller.* 4. *donner sur ; s'ouvrir sur ; dominer.*

13. **I need not introduce** : Rappel : le verbe **need** se comporte comme un défectif, et est donc suivi d'un infinitif sans **to**, surtout, comme ici, dans une phrase négative : *je n'ai pas besoin de vous présenter.*

14. **when I am dressed** : Notez : après les conjonctions de temps, ici **when**, *quand*, l'anglais utilise le présent, et le français le futur, *quand je serai habillé.*

15. **to refresh** : 1. (ici) *se revigorer ; se redonner des forces.* 2. *se rafraîchir.* 3. *se délasser ; se détendre.*

16. **claret** : (vin) *bordeaux rouge.*

17. **feat** : *prouesse ; exploit ; tour de force.*

You will realize[1] that among your many talents dissimulation finds no place, and that if you had shared[2] my secret you would never have been able to impress Smith with the urgent necessity of his presence, which was the vital point of the whole scheme[3]. Knowing his vindictive nature, I was perfectly certain that he would come to look upon[4] his handiwork[5]."

"But your appearance, Holmes – your ghastly face?"

"Three days of absolute fast[6] does not improve[7] one's beauty, Watson. For the rest, there is nothing which a sponge may not cure. With vaseline upon one's forehead[8], belladonna in one's eyes, rouge over the cheek-bones[9], and crusts[10] of beeswax[11] round one's lips, a very satisfying effect can be produced. Malingering[14] is a subject upon which I have sometimes thought of writing a monograph. A little occasional talk about half-crowns[13], oysters, or any other extraneous[14] subject produces a pleasing effect of delirium."

"But why would you not let me near you, since there was in truth no infection?"

"Can you ask, my dear Watson? Do you imagine that I have no respect for your medical talents? Could I fancy that your astute[15] judgment would pass a dying man who, however weak, had no rise of pulse or temperature[16]? At four yards, I could deceive[17] you. If I failed to do so, who would bring my Smith within my grasp[18]?

---

1. **to realize** ['rɪəlaɪz] : 1. *se rendre compte*; *comprendre*. 2. (ambitions) *réaliser*. 3. (prix) *atteindre*; *rapporter*.

2. **to share** [ʃɛəʳ] : 1. (ici) *partager*. 2. *répartir*.

3. **scheme** [ski:m] : 1. (ici) *plan*; *combine*. 2. *complot*; *machination*. 3. *arrangement*; *combinaison*; *procédé*.

4. **to look upon** : 1. (ici) *regarder*. 2. *considérer*.

5. **handiwork** : *œuvre*; *ouvrage*; *travail*.

6. **fast** : 1. (ici) *jeûne*. 2. *vite*; *rapidement*. 3. *profondément*.

7. **to improve** : 1. (ici) *améliorer*. 2. *augmenter*; *accroître*. 3. *s'améliorer*; *faire des progrès*.

8. **forehead** : 1. (ici) *front*. 2. (cheval) *chanfrein*.

9. **cheek-bones** : *pommettes*.

— Vous vous rendrez compte que parmi vos nombreux talents la dissimulation n'a pas sa place, et si vous aviez partagé mon secret, vous n'auriez jamais été capable de convaincre Smith de la nécessité urgente de sa présence, qui était le point essentiel de tout mon plan. Connaissant sa nature vindicative, j'étais parfaitement sûr qu'il viendrait contempler son œuvre.

— Mais votre apparence, Holmes – votre visage blafard ?

— Trois jours de jeûne absolu n'améliorent jamais votre beauté, Watson. Pour le reste, il n'y a rien qu'une éponge ne puisse soigner. Avec de la vaseline sur le front, de la belladone dans les yeux, du rouge sur les pommettes, et des croûtes de cire d'abeille autour des lèvres, on peut produire un effet très satisfaisant. La simulation est un sujet à propos duquel j'ai parfois pensé écrire une monographie. À l'occasion quelques paroles sur les demi-couronnes, les huîtres ou n'importe quel autre sujet sans aucun rapport produisent une plaisante impression de délire.

— Mais pourquoi ne vouliez-vous pas me laisser m'approcher de vous, puisque en vérité il n'y avait pas d'infection.

— Pouvez-vous me le demander, mon cher Watson ? Est-ce que vous vous imaginez que je n'ai aucun respect pour votre talent de médecin ? Pourrais-je imaginer que votre jugement avisé aurait omis de voir qu'un mourant, si faible soit-il, avait un pouls et une température normaux ? À quatre mètres je pouvais vous tromper. Si je n'avais pas fait ainsi, qui aurait amené mon Smith à ma portée ?

---

10. **crust** : 1. (ici) *croûte*. 2. *écorce*. 3. (glace) *couche*. 4. (vin) *dépôt de tanin*.

11. **beeswax** : *cire d'abeille*.

12. **malingering** : 1. (ici) *simulation de maladie*. 2. *tirer au flanc*.

13. **half-crown** : voir note 13, p. 97.

14. **extraneous** : 1. (ici) *sans aucun rapport*; *étranger (ère)*. 2. *exceptionnel(le)*. 3. (bruit) *extérieur*.

15. **astute** [ə'stju:t] : 1. (ici) *avisé(e)*. 2. *astucieux (euse)*; *perçant(e)*.

16. **had no rise of pulse or température** : m. à m. *n'avait pas d'élévation du pouls et de la température*, donc *avait un pouls et une température normaux*.

17. **to deceive** [dɪ'si:v] : *tromper*; *duper*. ▶ Attention : *décevoir*, **to disappoint**.

18. **grasp** : 1. (ici) *portée*. 2. *poigne*.

No, Watson, I would not touch that box. You can just see if you look at it sideways[1] where the sharp[2] spring like a viper's tooth emerges as you open it. I dare say it was by some such device[3] that poor Savage, who stood between this monster and a reversion[4], was done to death. My correspondence, however, is, as you know, a varied one, and I am somewhat upon my guard against any packages[5] which reach me. It was clear to me, however, that by pretending that he had really succeeded in his design[6] I might surprise a confession. That pretence[7] I have carried out[8] with the thoroughness[9] of the true artist. Thank you, Watson, you must help me on with my coat. When we have finished at the police-station I think that something nutritious at Simpson's[10] would not be out of place[11].

---

1. **sideways** : 1. (ici) *sur le côté*. 2. *oblique*. 3. *latéral*.
2. **sharp** : 1. (ici) *pointu(e)*. 2. *tranchant(e)*. 3. *net(te)*. 4. *brusque*; *soudain(e)*.
3. **device** : 1. (ici) *système*; *procédé*. 3. *ruse*; *stratagème*. 3. *formule*.
4. **reversion** : 1. (ici) *héritage*. 2. *reversion, retour d'un bien*.
5. **package** : 1. (ici) *paquet*; *colis*. 2. *forfait*.
6. **design** : 1. (ici) *intention*; *projet*. 2. *plan*; *motif*.

— Non, Watson, je ne toucherais pas cette boîte. Si vous la regardez sur le côté, vous pouvez juste voir émerger le ressort pointu comme les crocs d'une vipère, quand vous l'ouvrez. J'ose affirmer que c'est par un tel système que le pauvre Savage, qui se dressait entre ce monstre et un héritage, a été mis à mort. Ma correspondance est cependant, comme vous le savez, variée, et je suis quelque peu sur mes gardes à propos de tout paquet que je reçois. Il m'apparut clairement pourtant qu'en prétendant qu'il avait réellement réussi son projet, je pourrais surprendre une confession. C'est ce simulacre que j'ai mené avec la minutie du véritable artiste. Merci, Watson, vous devez m'aider à mettre mon manteau. Quand nous aurons terminé au poste de police, je pense que quelque chose de nourrissant chez Simpson ne serait pas de trop.

---

7. **pretence** : 1. (ici) *simulacre.* 2. *prétexte.* 3. *prétention.*

8. **to carry out** : 1. (ici) *mener, réaliser.* 2. *emporter.*

9. **thoroughness** : 1. (ici) *minutie* ; *rigueur.* 2. *perfection.*

10. **Simpson's** : célèbre restaurant londonien proposant une cuisine de qualité dans le luxueux décor d'un club d'échecs ouvert en 1828.

11. **out of place** : m. à m. *déplacé* rendu par *pas de trop.*

# The Adventure of
the Retired Colourman

## *Le Marchand de couleurs retraité*

Sherlock Holmes was in a melancholy and philosophic mood that morning. His alert practical[1] nature was subject to such reactions.

"Did you see him?" he asked.

"You mean[2] the old fellow[3] who has just gone out?"

"Precisely."

"Yes, I met[4] him at the door."

"What did you think of him?"

"A pathetic[5], futile[6], broken creature[7]."

"Exactly, Watson. Pathetic and futile. But is not all life pathetic and futile? Is not his story a microcosm of the whole[8]? We reach. We grasp[9]. And what is left in our hands at the end? A shadow[10]. Or worse[11] than a shadow – misery[12]."

"Is he one of your clients[13]?"

"Well, I suppose I may call him so. He has been sent on by the Yard[14]. Just as medical men occasionally send their incurables[15] to a quack[16]. They argue that they can do nothing more, and that whatever happens to the patient can be no worse than he is."

"What is the matter?"

Holmes took a rather soiled[17] card from the table. "Josiah Amberley. He says he was junior partner[18] of Brickfall and Amberley, who are manufacturers of artistic materials.

You will see their names upon paint-boxes.

---

1. **practical** : 1. (ici) *pragmatique, doué de sens pratique.* 2. *commode, pratique.* 3. *concret.*

2. **to mean, meant, meant** : 1. (ici) *vouloir dire.* 2. *signifier.* 3. *compter* (= être attaché à). 4. *avoir l'intention de.*

3. **fellow** : 1. (ici) *type, bonhomme.* 2. *camarade, confrère.* 3. *professeur* (université); *étudiant(e) de troisième cycle.* 4. *membre* (société).

4. **met** : prétérit et p. passé du verbe irrégulier **to meet**, *rencontrer.*

5. **pathetic** [pə'θetɪk].

6. **futile** ['fju:taɪl].

7. **creature** ['kri:tʃər].

8. **whole** : [həʊl] : 1. (ici, n.) *ensemble, le tout.* 2. adj. *entier, tout.* 3. *indemne, sain et sauf.*

9. **to grasp** : 1. (ici) *attraper, s'emparer de, agripper.* 2. *comprendre, saisir.*

10. **shadow** : 1. *ombre.* 2. *cerne, ombrage.*

Ce matin-là Sherlock Holmes était d'humeur mélancolique et philosophe. Sa nature alerte et pragmatique était sujette à de telles réactions.

— Est-ce que vous l'avez vu, demanda-t-il ?

— Vous voulez parler du vieux bonhomme qui vient de sortir ?

— Précisément.

— Oui. Je l'ai croisé à la porte.

— Qu'avez-vous pensé de lui ?

— Une créature pathétique, futile, brisée.

— Exactement, Watson. Pathétique et futile. Mais toute vie n'est-elle pas pathétique et futile ? Son histoire n'est-elle pas un microcosme de l'ensemble ? Nous tendons la main. Nous attrapons. Et à la fin que nous reste-il ? Une ombre. Ou pire qu'une ombre : de la souffrance.

— Est-il un de vos clients ?

— Eh bien, je suppose que je peux l'appeler ainsi. Il m'a été envoyé par Scotland Yard. Juste comme les médecins envoient parfois leurs malades incurables à un charlatan. Ils estiment ne pouvoir rien faire de plus, et que, quoi qu'il arrive, l'état du patient ne peut être pire qu'il ne l'est.

— Quel est le problème ?

Holmes se saisit sur la table d'une carte de visite plutôt défraîchie.

— Josiah Amberley. Il dit qu'il était associé minoritaire de Brickfall et Amberley, qui sont des fabricants de matériel artistique. Vous verrez leurs noms sur des pots de peinture.

---

11. **worse** (adj. comparatif de **bad**, *mauvais*) : 1. (ici) *pire*. 2. *plus mal*, **to feel worse**, *se sentir plus mal*.

12. **misery** : 1. (ici) *souffrance*. 2. *malheur, tristesse*. 3. *misère*. 4. *rabat-joie*; *grincheux, grincheuse*.

13. **client** [klaɪənt].

14. **the Yard** : = **Scotland Yard**, quartier général de la police de Londres, situé dans la cité de Westminster, créé en 1829 par Sir Robert Peel.

15. **incurable** : adj. *qui ne peut être guéri, inguérissable*.

16. **quack** : 1. (ici) *charlatan*. 2. *cancanement, coin-coin*. 3. (UK, fam.) *toubib*.

17. **soiled** : adj. 1. (ici) *défraîchi*. 2. *souillé*; *usagé*;

18. **junior partner** : *associé minoritaire*; *partenaire mineur*; *associé adjoint*.

He made his little pile[1], retired from business at the age of sixty-one, bought a house at Lewisham[2], and settled down[3] to rest[4] after a life of ceaseless grind[5]. One would think his future[6] was tolerably assured."

"Yes, indeed."

Holmes glanced over some notes which he had scribbled[7] upon the back of an envelope.

"Retired in 1896, Watson. Early in 1897 he married a woman twenty years younger than himself – a good-looking woman, too, if the photograph does not flatter[8]. A competence[9], a wife, leisure – it seemed a straight[10] road which lay before him. And yet within[11] two years he is, as you have seen, as broken and miserable[12] a creature as crawls[13] beneath the sun."

"But what has happened?"

"The old story, Watson. A treacherous[14] friend and a fickle[15] wife. It would appear that Amberley has one hobby[16] in life, and it is chess. Not far from him at Lewisham there lives a young doctor who is also a chess-player. I have noted his name as Dr. Ray Ernest. Ernest was frequently in the house, and an intimacy between him and Mrs. Amberley was a natural sequence, for you must admit that our unfortunate client has few outward graces, whatever[17] his inner[18] virtues may be.

---

1. **pile** : 1. (ici, fam.) *magot.* 2. *amas d'objets entassés.* 3. *pilier d'une construction.*

2. **Lewisham** : district du Grand Londres créé en 1965.

3. **to settle down** : 1. (ici) *s'installer* ; *se fixer.* 2. *s'apaiser.* 3. *se ranger.*

4. **to rest** : 1. (ici) *se reposer.* 2. *reposer* ; *appuyer.* 3. *résider.*

5. **grind** : 1. (ici) *labeur* ; *corvée.* 2. (US) *bosseur (euse).*

6. **future** ['fjuːtʃər].

7. **to scribble** : *griffonner* ; *gribouiller.*

8. **to flatter** : 1. (ici) *flatter, présenter de façon avantageuse.* 2. *flatter, louer exagérément.* 3. *caresser* : *flatter un cheval.* 4. *affecter agréablement* : *plat qui flatte le palais.*

9. **a competence** : 1. (ici, sens litt. et archaïque) *aisance, assez d'argent.* 2. *aptitude, capacité, compétence.*

Il s'est fait un petit magot, s'est retiré des affaires, à l'âge de soixante et un ans, a acheté une maison à Lewisham, et s'est installé pour se reposer après une vie de labeur incessant. On aurait pu penser que son avenir était passablement assuré.

— Oui, en effet.

Holmes jeta un coup d'œil sur quelques notes qu'il avait griffonnées au dos d'une enveloppe.

— S'est retiré en 1896, Watson. Au début de 1897, il a épousé une femme de vingt ans plus jeune que lui ; une belle femme, également, si la photographie ne la flatte pas trop. Assez d'argent pour vivre, une épouse, des loisirs ; il semblait qu'un parcours bien droit s'offrait à lui. Et pourtant en moins de deux ans il est devenu, comme vous l'avez vu, une de ces créatures brisées et pitoyables qui rampent sous le soleil.

— Mais que s'est-il passé ?

— L'histoire classique, Watson. Un ami perfide et une femme volage. Il semblerait qu'Amberley avait une passion dans la vie, à savoir les échecs. Non loin de chez lui à Lewisham vit un jeune médecin qui est également un joueur d'échecs. J'ai noté son nom, Dr Ray Ernest. Ernest venait fréquemment à la maison, et il s'en est suivi une certaine intimité entre lui et Mme Amberley, car vous devez admettre que notre infortuné client possède peu de grâces apparentes, quelles que puissent être ses vertus cachées.

---

10. **straight** : 1. (ici) *droit*. 2. *direct(e), franc, franche*. 3. *sérieux*. 4. **to drink a whisky straight**, *boire un whisky sec*.

11. **within** : 1. (ici) *en moins de*. 2. *à l'intérieur de, dans*. 3. *dans les limites de*. 4. *en l'espace de*.

12. **miserable** : 1. (ici) *pitoyable*. 2. *malheureux, triste*. 3. *miteux, minable*.

13. **to crawl** : 1. (ici) *ramper*. 2. *grouiller de*. 3. (sport) *nager le crawl*.

14. **treacherous** : 1. (ici) *perfide, infidèle*. 2. *dangereux, traître* (route glissante).

15. **fickle** : 1. (ici) *volage, inconstant(e)*. 2. *changeant* (temps).

16. **hobby** : *passe-temps favori, violon d'Ingres*.

17. **whatever** : 1. (ici) *quel que soit*. 2. *n'importe quel, tout*. 3. *tout ce que*. 4. *quoi que*.

18. **inner** : 1. (ici) m. à m. *intime*, d'où *caché*. 2. *intérieur, interne*.

The couple went off together last week – destination untraced[1].

What is more, the faithless[2] spouse[3] carried off[4] the old man's deed-box[5] as her personal luggage with a good part of his life's savings[6] within. Can we find the lady? Can we save the money? A commonplace[7] problem so far as it has developed, and yet a vital one for Josiah Amberley."

"What will you do about it?"

"Well, the immediate question, my dear Watson, happens[8] to be, What will you do? – if you will be good enough to understudy[9] me. You know that I am preoccupied with this case of the two Coptic Patriarchs[10], which should come to a head[11] to-day. I really have not time to go out to Lewisham, and yet evidence[12] taken on the spot[13] has a special value. The old fellow was quite insistent that I should go, but I explained my difficulty. He is prepared to meet a representative[14]."

"By all means[15]," I answered. "I confess I don't see that I can be of much service, but I am willing to do my best." And so it was that on a summer afternoon I set forth[16] to Lewisham, little dreaming[17] that within a week the affair in which I was engaging would be the eager[18] debate[19] of all England.

It was late that evening before I returned to Baker Street and gave an account[20] of my mission.

---

1. **untraced** : 1. (ici), *non identifié*, donc, ici, *inconnue*. 2. *non tracé* (produit).

2. **faithless** : 1. (ici) *déloyale* donc rendu par *infidèle*. 2. *non-croyant, sans foi*.

3. **spouse** : *épouse, conjointe*.

4. **to carry off** : 1. (ici) *emporter* (biens, marchandises). 2. *enlever* (personne). 3. *remporter* (un prix). 4. *mener à bien, réaliser*.

5. **deed-box** : *coffre à documents, boîte*.

6. **savings** : *économies, épargne*.

7. **commonplace** : adj. : 1. (ici) *banal, courant*. 2. *trivial* ; *usuel* ; n. : *banalité, cliché*.

8. **to happen** : 1. *se trouver*. 2. *se passer, se produire*.

9. **to understudy** : *doubler, être une doublure*.

10. **Coptic Patriarchs** : patriarches chrétiens d'Égypte.

11. **come to a head** : 1. (ici) *déboucher*. 2. *se mettre en place*. 3. *devenir critique* ; *atteindre son point culminant*.

Le couple est parti la semaine dernière – destination inconnue.

En plus, l'épouse infidèle a emporté, comme bagage personnel, le coffret contenant une bonne part des économies de toute une vie du vieil homme. Pouvons-nous retrouver la dame ? Pouvons-nous sauver l'argent ? Un problème banal, comme il s'est développé jusqu'ici, mais cependant vital pour Josiah Amberley.

— Qu'allez-vous faire à ce sujet ?

— Eh bien, mon cher Watson, la question immédiate se trouve être : qu'allez-vous faire ? – si vous voulez bien être ma doublure. Vous savez que je me préoccupe de l'affaire des deux patriarches coptes qui doit déboucher aujourd'hui. Je n'ai vraiment pas le temps d'aller jusqu'à Lewisham, et cependant les preuves relevées sur le terrain ont une particulière valeur. Le vieux bonhomme a assez insisté pour que je vienne, mais je lui ai expliqué mes difficultés. Il est prêt à rencontrer celui qui me représente.

— Certainement, répondis-je. J'avoue que je ne vois pas comment je peux être d'un grand service, mais je suis prêt à faire de mon mieux.

Et c'est ainsi qu'un après-midi d'été je partis pour Lewisham, imaginant assez peu qu'en moins d'une semaine l'affaire où j'étais engagé provoquerait un débat passionné dans toute l'Angleterre.

Il était tard ce soir-là quand je retournai à Baker Street et fis un rapport de ma mission.

---

12. **evidence** : 1. (ici) *preuves*. 2. *témoignages* ; *déposition*.

13. **on the spot** : *sur place, sur les lieux*. **Spot** : 1. *petit projecteur donnant un faisceau lumineux*. 2. *cours message publicitaire*. 3. *tache*.

14. **representative** : 1. (ici) *mandataire*, donc rendu ici par *celui qui me représente*. 2. *agent* ; *délégué*. 3. *député* : cf. **The US House of Representatives**.

15. **by all means** : 1. (ici) *mais certainement*. 2. fam. *je t'en prie*.

16. **to set forth** : 1. (ici) *partir pour, se mettre en route pour*. 2. **to set forth sth** : *présenter qqch*.

17. **to dream** : 1. (ici) *imaginer*. 2. *rêver*.

18. **eager** : 1. (ici) *passionné*. 2. **eager to do sth**, *impatient de faire qqch*.

19. **debate** [dɪˈbeɪt].

20. **account** : *compte rendu, récit*. 2. *explication*. 3. *importance, valeur*. 4. *profit*. 5. *compte*.

Holmes lay[1] with his gaunt[2] figure[3] stretched[4] in his deep chair, his pipe curling forth[5] slow wreaths[6] of acrid tobacco, while his eyelids drooped[7] over his eyes so lazily[8] that he might almost have been asleep were it not[9] that at any halt or questionable[10] passage of my narrative they half lifted, and two gray eyes, as bright and keen as rapiers, transfixed me with their searching[11] glance.

"The Haven [12] is the name of Mr. Josiah Amberley's house," I explained. "I think it would interest you, Holmes. It is like some penurious[13] patrician who has sunk[14] into the company of his inferiors. You know that particular quarter, the monotonous brick streets, the weary[15] suburban highways. Right in the middle of them, a little island of ancient culture and comfort[16], lies[17] this old home, surrounded by a high sun-baked[18] wall mottled[19] with lichens and topped[20] with moss, the sort of wall —"

"Cut out[21] the poetry, Watson," said Holmes severely. "I note that it was a high brick wall."

"Exactly. I should not have known which was The Haven had I not asked a lounger[22] who was smoking in the street. I have a reason for mentioning him. He was a tall, dark, heavily moustached, rather military-looking man. He nodded in answer to my inquiry and gave me a curiously questioning glance, which came back to my memory a little later.

---

1. **lay** : Rappel : prétérit du verbe irrégulier **to lie, lay, lain**, 1. (ici) *être étendu, être couché*. 2. *se tenir, se trouver*. ▶ Attention, ne pas confondre avec l'autre verbe irrégulier **to lay, laid, laid**, *mettre, poser*.

2. **gaunt** : 1. (ici : visage) *maigre* ; *émacié*. 2. (corps) *décharné*. 3. (paysage) *désolé, lugubre, morne*.

3. **figure** ['fɪgər] : rappel : 1. (ici) *silhouette*. 2. *personnage*. 3. *chiffre* ; *somme*. 4. (géométrie) *figure*.

4. **stretched** : *étiré*, étendu.

5. **to curl forth** : c'est la postposition **forth**, *en avant*, qui transforme le sens de **to curl**, *boucler*, en donnant l'idée de mouvement traduit par *lançant*.

6. **wreaths** : 1. (ici) *volute*. 2. *couronne* ; *guirlande*.

7. **to droop** : 1. (ici) *s'abaisser*. 2. *pencher*. 3. *s'affaisser*. 4. *être épuisé*.

8. **lazily** : 1. (ici) *paresseusement*. 2. *avec désinvolture*.

9. **were it not** : 1. (ici) *si... ne pas* ; *n'était-ce* ; *n'eût été*. 2. *sauf*.

10. **questionable** : 1. (ici) *discutable* ; *contestable*. 2. *douteux, louche*.

La maigre silhouette de Holmes était étendue dans son fauteuil, sa pipe lançant de lentes volutes de tabac âcre, tandis que ses paupières s'abaissaient si paresseusement sur ses yeux qu'il aurait presque pu être endormi si, à la moindre pause ou passage discutable de ma narration, elles ne s'étaient à demi relevées, et deux yeux gris, aussi clairs et pénétrants qu'une rapière, me transperçaient de leur regard scrutateur.

— Le Havre, c'est le nom de la maison de M. Josiah Amberley, expliquai-je. Je pense qu'elle vous intéresserait, Holmes. C'est comme un patricien ruiné qui a sombré dans la compagnie de ses inférieurs. Vous connaissez ce quartier particulier, les rues aux briques monotones, les voies publiques fatiguées de la banlieue. En plein milieu de cela, un petit îlot de culture et de confort, se tient cette vieille demeure, entourée d'un haut mur baigné de soleil, marbré de lichen et recouvert de mousse, le genre de mur...

— Ça suffit comme ça, la poésie, Watson, dit Holmes sévèrement. Je note que c'était un haut mur de briques.

— Exactement. Je n'aurais pas su laquelle était Le Havre si je n'avais pas demandé à un type qui traînait et fumait dans la rue. C'était un grand type brun, avec une grosse moustache, et une allure plutôt militaire. Il a hoché la tête en réponse à ma question et m'a lancé un curieux regard inquisiteur, qui me revint en mémoire un peu plus tard.

---

11. **searching** : 1. (ici) *pénétrant, scrutateur.* 2. *minutieux.*

12. **Haven** : *abri, refuge* ; **a tax haven**, un paradis fiscal.

13. **penurious** : 1. (ici) *ruiné, sans ressources, indigent.* 2. *avare, parcimonieux.*

14. **sunk** : participe passé du verbe irrégulier **to sink, sank, sunk**, 1. (ici) *sombrer* (sens figuré ; sens propre : navire). 2. *baisser, s'affaisser.* 3. *s'écrouler.*

15. **weary** : 1. (ici) *fatiguées* au sens *usées, mal entretenues.* 2. *épuisé, exténué.*

16. **comfort** : 1. (ici) *confort ; bien-être.* 2. *consolation, réconfort.*

17. **to lie** : 1. (voir plus haut note 1) *se trouver.* 2. verbe régulier **to lie**, *mentir.*

18. **sun-baked** : rappel : adjectif composé : le 1er terme, **sun**, *soleil*, détermine le 2e, **baked**, *baigné.*

19. **mottled** : *tacheté, marbré.*

20. **topped** : 1. (ici) *recouvert.* 2. *surmonté.*

21. **cut out** : 1. *supprimer*, d'où ici, sens figuré, *ça suffit comme ça, ça va comme ça.* 2. (auto) *caler.* 3. (fam.) *filer, se tailler.* 4. *supplanter.* 5. *découper, sculpter.*

22. **lounger** : 1. (ici) *personne qui traîne, fainéant.* 2. *lit de plage.*

"I had hardly[1] entered the gateway[2] before I saw Mr. Amberley coming down the drive[3]. I only had a glimpse[4] of him this morning, and he certainly gave me the impression of a strange creature, but when I saw him in full light his appearance[5] was even more abnormal."

"I have, of course, studied it, and yet I should be interested to have your impression," said Holmes.

"He seemed to me like a man who was literally bowed down[6] by care[7]. His back was curved as though he carried a heavy burden[8]. Yet he was not the weakling[9] that I had at first imagined, for his shoulders and chest have the framework[10] of a giant, though his figure tapers away[11] into a pair of spindled[12] legs."

"Left shoe wrinkled[13], right one smooth[14]."

"I did not observe that."

"No, you wouldn't. I spotted[15] his artificial limb. But proceed[16]."

"I was struck by the snaky[17] locks[18] of grizzled hair which curled from under his old straw hat, and his face with its fierce, eager expression and the deeply lined[19] features."

"Very good, Watson. What did he say?"

"He began pouring[20] out the story of his grievances[21]. We walked down the drive together, and of course I took a good look round. I have never seen a worse-kept place.

---

1. **hardly** : 1. (ici) *à peine*; *du mal à*; *ne... guère*. 2. *quand même pas*; *absolument pas*.

2. **gateway** : 1. (ici) *grille*; *entrée*. 2. *passerelle*.

3. **drive** : 1. (ici) *allée*; *voie privée*; *avenue, rue*. 2. *trajet en voiture*. 3. *dynamisme, énergie* 4. (auto) *transmision*.

4. **glimpse** : *aperçu*.

5. **appearance** : 1. (ici) *apparence, aspect*. 2. *apparition*. 3. *parution* (livre, journal). 4. *comparution* (tribunal).

6. **bowed down** : 1. (ici) *abattu*. 2. *courbé*.

7. **care** : 1. (ici) *souci, ennui*. 2. *soin*; *entretien*. 3. *attention* (conduite). 4. *charge* (affaire), *garde* (enfant).

8. **burden** : 1. (ici) *fardeau* 2. *jauge, tonnage* (bateau). 3. *refrain*.

9. **weakling** : 1. (ici) *gringalet*. 2. *mauviette, poule mouillée*.

10. **framework** : 1. (ici) *charpente*. 2. *structure*.

J'avais à peine franchi la grille avant de voir M. Amberley descendre l'allée. Je ne l'avais qu'entrevu ce matin, et il me fit certainement l'impression d'être une créature étrange, mais quand je l'ai vu en pleine lumière, il m'apparut encore plus anormal.

— Je l'ai, bien sûr, étudié, et cependant je serais intéressé d'avoir votre impression, dit Holmes.

— Il m'a paru être un homme littéralement abattu par ses soucis. Son dos était voûté comme s'il portait un lourd fardeau. Pourtant ce n'était pas le gringalet que je m'étais imaginé d'abord, car ses épaules et son torse avaient la charpente d'un géant, bien que sa silhouette se terminât par une paire de jambes en fuseaux.

— La chaussure gauche plissée, la droite lisse.

— Je n'ai pas observé ça.

— Non, vous n'auriez pas pu. J'ai repéré sa jambe artificielle. Mais poursuivez.

— J'ai été frappé par les mèches rebelles de cheveux grisonnants en boucles sous son vieux chapeau de paille, et l'expression fière et passionnée de son visage, et ses traits profondément ridés.

— Très bien, Watson. Qu'a-t-il dit ?

— Il a commencé à déverser l'histoire de ses griefs. Nous avons descendu l'allée ensemble, et bien sûr j'ai bien observé les alentours. Je n'ai jamais vu un endroit plus mal entretenu.

---

11. **to taper away** : 1. (ici) *se terminer.* 2. *s'affiner.*

12. **spindled** : adj. *en fuseau* ; nom : 1. *fuseau.* 2. *axe* (moteur).

13. **wrinkled** : 1. (ici) *plissé(e).* 2. *froissé(e).* 3. *ridé(e).*

14. **smooth** : 1. (ici) *lisse* ; *doux, douce* ; *rasé de près.* 2. *confortable* (vol). 3. *régulier* ; *qui marche bien.* 4. *paisible.* 5. *onctueux.*

15. **to spot** : 1. (ici) *repérer* ; *apercevoir.* 2. *tacher* ; *se tacher.*

16. **to proceed** : 1. (ici) *poursuivre, continuer.* 2. *se dérouler.* 3. *procéder.* 4. *avancer* ; *se rendre.* 5. **to proceed against**, *poursuivre en justice.*

17. **snaky** : 1. (ici) m. à m. *sinueux* rendu par *rebelle.* 2. *insidieux, perfide.*

18. **lock** : 1. (ici) *mèche, boucle.* 2. *serrure* ; *verrou.* 3. *écluse.* 4. *prise* (lutte).

19. **lined** : 1. (ici) *ridé(e).* 2. *bordé.* 3. *tapissé* ; *doublé.*

20. **to pour** : 1. (ici, au sens figuré) *déverser.* 2. *verser* ; *se déverser.* 3. *investir.*

21. **grievance** : 1. (ici) *grief* ; *réclamation* ; *revendication.* 3. *injustice* ; *tort.* 4. *mécontentement.*

The garden was all running to seed[1], giving me an impression of wild[2] neglect in which the plants had been allowed to find the way of Nature rather than of art. How any decent woman could have tolerated such a state[3] of things, I don't know. The house, too, was slatternly[4] to the last degree, but the poor man seemed himself to be aware[5] of it and to be trying to remedy it, for a great pot of green paint stood in the centre of the hall[6], and he was carrying a thick brush in his left hand. He had been working on the woodwork[7].

"He took me into his dingy[8] sanctum, and we had a long chat[9]. Of course, he was disappointed that you had not come yourself. 'I hardly expected,' he said, 'that so humble an individual as myself, especially after my heavy financial loss[10], could obtain the complete[11] attention of so famous a man as Mr. Sherlock Holmes.'

"I assured[12] him that the financial question did not arise[15]. 'No of course, it is art for art's sake[14] with him,' said he, 'but even on the artistic side of crime he might have found something here to study. And human nature, Dr. Watson – the black ingratitude of it all! When did I ever[15] refuse one of her requests? Was ever a woman so pampered[16]? And that young man – he might have been my own son. He had the run[17] of my house. And yet see how they have treated me! Oh, Dr. Watson, it is a dreadful[18], dreadful world!'

---

1. **to run to seed** : 1. (ici) m. à m. *devenir graine*, d'où rendu par *était envahi d'herbes* (*seed, graine*). 2. *monter en graine*.

2. **wild** : 1. (ici) *fou, folle*. 2. *sauvage* (bête) ; (fleur, plante). 3. *violent, agité* (temps). 2. *débraillé* ; *ébouriffé* (cheveux). 4. *enthousiaste, frénétique* (applaudissements). 5. *délirant* ; *insensé*.

3. **state** : n. 1. (ici) *état, situation*. 2. *État* (nation). 3. *apparat, pompe*. Adj. *d'État* ; *public* ; *de l'État*.

4. **slattern** : *négligé, souillé*.

5. **to be aware** : *être conscient, se rendre compte*.

6. **hall** : 1. (ici) *entrée* ; *vestibule*. 2. *salle*. 3. *château*.

7. **woodwork** : 1. (ici) *boiseries* ; *charpente*. 2. *ébénisterie, menuiserie*.

8. **dingy** : adj. 1. (ici) *miteux* ; *défraîchi* ; *minable*. 2. *douteux* (sale). 3. *terne* (couleur), *sombre*. Nom : *canot*.

Le jardin était tout envahi d'herbes, donnant l'impression d'une folle négligence où les plantes étaient autorisées à trouver le chemin de la nature plutôt que celui de l'art. Comment une femme comme il faut aurait pu tolérer un tel état des choses, je ne sais pas. La maison, aussi, était souillée au dernier degré, mais le pauvre homme semblait s'en être rendu compte et tentait d'y remédier, car un grand pot de peinture verte se trouvait au centre de l'entrée, et il portait un épais pinceau dans sa main gauche. Il avait travaillé sur les boiseries.

— Il m'a fait entrer dans son sanctuaire minable et nous avons eu une longue discussion. Bien sûr, il était déçu que vous ne soyez pas venu vous-même.

— « Je m'attendais à peine, dit-il, qu'une personne aussi modeste que moi, puisse, particulièrement après ma lourde perte financière, obtenir la totale attention d'un homme aussi célèbre que M. Sherlock Holmes. »

— Je lui ai assuré que la question financière ne se posait pas.

— « Non bien sûr, c'est l'art pour l'art avec lui, dit-il, mais même sur l'aspect artistique du crime il aurait pu trouver quelque chose à étudier. Et la nature humaine, docteur Watson – la noire ingratitude de tout cela ! Quand ai-je jamais refusé l'une de ses requêtes ? Y a-t-il jamais eu une femme aussi choyée ? Et ce jeune homme... Il aurait pu être mon propre fils. Ma maison était à sa disposition. Et pourtant voyez comme ils m'ont traité ! Oh, docteur Watson, c'est un monde épouvantable, épouvantable ! »

---

9. **chat** : *conversation* ; *discussion* ; *bavardage*.

10. **loss** : 1. *perte*. 2. *chagrin, malheur*.

11. **complete** [kəm'pli:t] : 1. (ici) *totale, complète*. 2. *achevé, terminé*.

12. **to assure** [ə'ʃuər].

13. **to arise, arose, arisen** : 1. (ici) *se poser* ; *survenir*. 2. *résulter*.

14. **art for art's sake** : *l'art pour l'art*.

15. **ever** : signifie ici dans une phrase affirmative *jamais* au sens de *une fois, un jour*.

16. **pampered** : *choyée, dorlotée*.

17. **to have the run** : *avoir la jouissance de*.

18. **dreadful** : *affreux, épouvantable* ; **dread**, *terreur, effroi* ; **to dread**, *craindre, redouter*.

"That was the burden[1] of his song for an hour or more. He had, it seems, no suspicion of an inrigue. They lived alone save for a woman who came in by the day and leaves every evening at six. On that particular evening old Amberley, wishing to give his wife a treat[2], had taken two upper circle seats[3] at the Haymarket Theatre[4]. At the last moment she had complained of a headache[5] and had refused to go. He had gone alone. There seemed to be no doubt about the fact, for he produced the unused ticket which he had taken for his wife. "

"That is remarquable – most remarquable, " said Holmes, whose interest in the case seemed to be rising. "Pray continue, Watson. I find your narrative most arresting[6]. Did you personally examine[7] this ticket ? You did not, perchance, take the number ?"

"It so happen that I did, " I answered with some pride[8]. "It chanced[9] to be my old shool number, thirty-one, and so it stuck[10] in my head."

"Excellent, Watson ! His seat, then, was either thirty or thirty-two."

"Quite so, " I answered with some mystification. "And on B row."

"That is most satisfactory.What else did he tell you ?"

"He showed me his strong-room[11], as he calls it."

---

1. **burden** : (ici) *refrain*, voir note 8, p. 144.

2. **treat** : *surprise, cadeau, gâterie.*

3. **upper circle seats** : m. à m. *sièges du haut au théâtre : balcon.*

4. **Haymarket Theatre** : théâtre créé à Londres dans la cité de Westminster en 1720.

5. **headache** ['hedeɪk] : 1. (ici) *migraine, mal de tête.* 2. *problème, casse-tête.*

6. **arresting** : *saisissant, frappant.*

— Ça a été le refrain de sa chanson pendant une heure ou plus. Il semble qu'il n'avait pas soupçonné leur liaison. Ils vivaient seuls, à l'exception d'une femme qui venait dans la journée et partait chaque soir à six heures. Ce soir en particulier, le vieil Amberley, souhaitant faire une surprise à sa femme, avait réservé deux places au balcon du théâtre de Haymarket. Au dernier moment elle s'était plainte d'une migraine et avait refusé de sortir. Il y était allé seul. Il semble qu'il n'y a aucun doute à ce sujet, car il m'a produit le ticket inutilisé qu'il avait pris pour sa femme.

— C'est remarquable – des plus remarquable, dit Holmes, dont l'intérêt pour l'affaire paraissait augmenter. Continuez, je vous en prie, Watson. Je trouve votre narration des plus saisissante. Avez-vous personnellement examiné le billet ? N'auriez-vous pas, par hasard, relevé le numéro ?

— Il se trouve que oui, répondis-je avec fierté. Il s'est par hasard trouvé être mon ancien numéro d'école, trente et un, et ainsi c'est resté dans ma tête.

— Excellent, Watson ! Son fauteuil était donc, soit le 30 ou le 32.

— Tout à fait ainsi, répondis-je, quelque peu mystifié. Et au rang B.

— Ceci est des plus satisfaisant. Quoi d'autre vous a-il dit ?

— Il m'a montré sa chambre forte, comme il la nomme.

---

7. **examine** [ɪg'zæmɪn].

8. **pride** : 1. (ici) *fierté*. 2. (péj.) *orgueil*.

9. **to chance** [tʃɑːns] : 1. *se trouver par hasard*. 2. *risquer*.

10. **stuck** : prétérit et participe passé du verbe irrégulier **to stick**, **stuck**, **stuck** : 1. (ici) *rester*. 2. *coller*. 3. *fixer*.

11. **strong-room** : *chambre forte* ; (banque) *salle des coffres*.

It really is a strong-room – like a bank – with iron door and shutter[1] – burglarproof[2], as he claimed. However, the woman seems to have had a duplicate[3] key, and between them they had carried off some seven thousand pounds' worth of cash[4] and securities[5]."

"Securities! How could they dispose of those?"

"He said that he had given the police a list and that he hoped they would be unsaleable[6]. He had got back from the theatre about midnight and found the place plundered[7], the door and window open, and the fugitives gone. There was no letter or message, nor has he heard a word since. He at once gave the alarm to the police."

Holmes brooded[8] for some minutes.

"You say he was painting. What was he painting?"

"Well, he was painting the passage. But he had already painted the door and woodwork of this room I spoke of."

"Does it not strike[9] you as a strange occupation in the circumstances?"

"'One must do something to ease[10] an aching[11] heart.' That was his own explanation. It was eccentric, no doubt, but he is clearly an eccentric man. He tore up[12] one of his wife's photographs in my presence – tore it up furiously in a tempest of passion. 'I never wish to see her damned[13] face again,' he shrieked[14]."

"Anything more, Watson?"

---

1. **shutter** : 1. (ici) *volet*. 2. *obturateur* (photo).

2. **burglarproof** : 1. (ici) *anti-effraction*. 2. (verrou) *incrochetable*.

3. **duplicate** ['dju:plɪkət] : *double*; *copie exacte*; *de rechange*.

4. **cash** : *argent liquide, espèces*.

5. **securities** : (fin.) *actions, valeurs*.

6. **unsaleable** : *invendable*.

7. **plunder** : 1. v. *piller*. 2. n. *butin*; *pillage*; **plunderer** : *pillard*.

8. **to brood** : 1. (ici) *méditer*; *ruminer*. 2. *broyer du noir*. 3. (danger, tempête) *couver, menacer*.

C'est réellement une chambre forte – comme dans une banque – avec une porte en fer et un volet – anti-effraction, comme il l'affirmait. Cependant, la femme semble avoir eu un double de la clé, et entre eux ils avaient emporté quelque sept mille livres en liquide et en titres.

— Des titres ! Comment peuvent-ils en disposer ?

— Il dit qu'il a donné une liste à la police et qu'il espérait qu'ils seraient invendables. Il était rentré du théâtre vers minuit et avait trouvé la maison pillée, la porte et la fenêtre ouverte, et les fugitifs partis. Il n'y avait ni lettre ni message, et il n'avait pas reçu un mot depuis. Il a immédiatement alerté la police.

Holmes médita quelques minutes.

— Vous dites qu'il était en train de peindre. Que peignait-il ?

— Eh bien, il peignait le couloir. Mais il avait déjà peint la porte et les boiseries de cette pièce dont j'ai parlé.

— Cela ne vous semble-t-il pas une étrange occupation dans ces circonstances ?

— On doit faire quelque chose pour soulager un cœur qui souffre. C'était sa propre explication. C'était sans doute excentrique, mais il est clairement un homme excentrique. Il a déchiré en ma présence une des photographies de sa femme – il l'a déchirée furieusement dans une tempête passionnée. « Je souhaite ne jamais plus revoir son maudit visage », hurla-t-il.

— Rien de plus, Watson ?

---

9. **to strike**, **struck**, **struck** : 1. (ici) *sembler, frapper* (sens figuré). 2. *frapper, heurter.* 3. *atteindre.* 4. *impressionner.* 5. *sonner* (cloche). 6. *faire grève.*

10. **to ease** : 1. *calmer, soulager.* 2. *se calmer, s'adoucir.*

11. **aching** ['eɪkɪŋ] : 1. (ici) *qui souffre, endolori.* 2. **to be aching** : *mourir d'envie.*

12. **tore up** : prétérit du verbe irrégulier **to tear**, **tore**, **torn**, *déchirer.* 2. *tirailler ; arracher.*

13. **damned** [dæmd] : 1. (ici) *maudit.* 2. *fichu.*

14. **to shriek** : *hurler ; crier.*

"Yes, one thing which struck me more than anything else. I had driven[1] to the Blackheath Station and had caught[2] my train there when, just as it was starting, I saw a man dart[3] into the carriage[4] next to my own. You know that I have a quick eye[5] for faces, Holmes. It was undoubtedly the tall, dark man whom I had addressed in the street. I saw him once more at London Bridge[6], and then I lost[7] him in the crowd[8]. But I am convinced that he was following me."

"No doubt! No doubt[9]!" said Holmes. "A tall, dark, heavily moustached man, you say, with gray-tinted sun-glasses?"

"Holmes, you are a wizard[10]. I did not say so, but he had gray-tinted sun-glasses."

"And a Masonic tie-pin?"

"Holmes!"

"Quite simple, my dear Watson. But let us get down to what is practical[11]. I must admit to you that the case, which seemed to me to be so absurdly simple as to be hardly worth[12] my notice[13], is rapidly assuming[14] a very different aspect. It is true that though in your mission you have missed everything of importance, yet even those things which have obtruded[15] themselves upon your notice give rise to serious thought."

"What have I missed?"

"Don't be hurt[16], my dear fellow.

---

1. **driven** : p. passé du verbe irrégulier **to drive**, **drove**, **driven**, 1. (ici) *aller en voiture*. 2. *conduire, piloter*. 3. *pousser, inciter*. 4. *faire fonctionner*.

2. **caught** [kɔːt] : prétérit du verbe irrégulier **to catch**, **caught**, **caught**, 1. (ici) *attraper, saisir*. 2. *comprendre*.

3. **to dart** : 1. (ici) *se précipiter*. 2. *lancer*.

4. **carriage** ['kærɪdʒ] : 1. (ici) *wagon*. 2. *chariot*. 3. *maintien, port*.

5. **to have a quick eye** : *être très observateur*, rendu ici par *rien ne m'échappe*.

6. **London Bridge** : pont londonien qui enjambe la Tamise au niveau de la City pour rejoindre les quartiers de Southwark et de Newington.

7. **lost** : prétérit du verbe irrégulier **to loose**, **lost**, **lost**, 1. *perdre*. 2. *défaire, détacher*. 3. *lâcher*.

— Si, une chose qui m'a frappé plus que toute autre chose. Je m'étais déplacé jusqu'à la gare de Blackheath et j'étais monté dans mon train, quand, juste quand il démarrait, j'ai vu un homme se précipiter dans le wagon voisin du mien. Vous savez que rien ne m'échappe à propos des visages, Holmes. C'était sans aucun doute le grand homme brun à qui je m'étais adressé dans la rue. Je l'ai revu une fois encore à London Bridge, et ensuite je l'ai perdu dans la foule. Mais je suis convaincu qu'il me suivait.

— Pas de doutes ! Pas de doutes ! dit Holmes. Un homme brun, de haute taille, avec de grandes moustaches, dites-vous, avec des lunettes de soleil teintées de gris ?

— Holmes, vous êtes un sorcier. Je ne l'ai pas dit, mais il avait des lunettes de soleil teintées de gris.

— Et une épingle de cravate maçonnique ?

— Holmes !

— Tout à fait simple, mon cher Watson. Mais revenons à ce qui est concret. Je vous dois d'admettre que cette affaire, qui me semblait si absurdement simple qu'elle paraissait mériter à peine mon attention, est en train de prendre rapidement un aspect très différent. Il est vrai que bien qu'au cours de votre mission vous ayez manqué tout ce qui était important, pourtant même ces choses qui se sont imposées elles-mêmes à votre attention donnent lieu à une sérieuse réflexion.

— Qu'ai-je manqué ?

— Ne soyez pas vexé, mon cher ami.

---

8. **crowd** : 1. *foule*. 2. *bande*.

9. **doubt** [daʊt] : notez le **b** muet.

10. **wizard** : (ici) *magicien, sorcier*.

11. **practical** : 1. (ici) *concret*. 2. *pratique, commode*. 3. *doué de sens pratique*.

12. **to be worth** : 1. *valoir la peine*. 2. *avoir intérêt*.

13. **notice** : 1. (ici) *attention*. 2. *annonce, pancarte*. 3. *avis, notification*.

14. **to assume** : 1. (ici) *prendre*. 2. *présumer, supposer*. 3. *assumer, endosser*. 4. *affecter*.

15. **to obtrude** : 1. (ici) *s'imposer*. 2. *dépasser*.

16. **hurt** : p. passé du verbe irrégulier **to hurt, hurt, hurt**, 1. (ici) *vexer*; *blesser*. 2. *faire mal*. 3. *nuire*.

You know that I am quite impersonal[1]. No one else would have done better. Some possibly not so well. But clearly you have missed some vital points. What is the opinion of the neighbours[2] about this man Amberley and his wife? That surely is of importance. What of Dr. Ernest? Was he the gay[3] Lothario one would expect[4]? With your natural advantages, Watson, every lady is your helper[5] and accomplice. What about the girl at the post-office, or the wife of the greengrocer[6]? I can picture[7] you whispering[8] soft nothings[9] with the young lady at the Blue Anchor[10], and receiving hard[11] somethings[12] in exchange. All this you have left undone[13]."

"It can still be done."

"It has been done. Thanks to the telephone[14] and the help of the Yard, I can usually get my essentials without leaving this room. As a matter of fact, my information confirms the man's story. He has the local repute[15] of being a miser[16] as well as a harsh[17] and exacting[18] husband. That he had a large sum of money in that strong-room of his is certain. So also is it that young Dr. Ernest, an unmarried[19] man, played chess with Amberley, and probably played the fool[20] with his wife. All this seems plain sailing[21], and one would think that there was no more to be said – and yet! – and yet!"

"Where lies[22] the difficulty?"

---

1. **impersonal** : 1. (ici) *objectif*. 2. *impersonnel*.

2. **neighbours** : *voisin*, (US) **neighbor**.

3. **gay** : 1. (ici) *joyeux, enjoué*. 2. (couleur) *vif, éclatant*. 3. nom *homosexuel*.

4. **to expect** : 1. (ici) *s'attendre*. 2. *compter sur*. 3. *imaginer, penser, supposer*. 4. **to be expecting**, *être enceinte*.

5. **helper** : 1. *aide, assistant(e)* ; *auxiliaire*. 2. (US) *femme de ménage*.

6. **greengrocer** : (ici) *épicier* ; *marchand de fruits et légumes*.

7. **to picture** ['pɪktʃər] : 1. (ici) *imaginer, se représenter*. 2. *dépeindre, représenter*.

8. **to whisper** : 1. (ici) *chuchoter*. 2. *murmurer*.

9. **nothings** : 1. *vétille, petits riens*. 2. *nullité*. 3. (chiffre) *zéro*.

10. **Blue Anchor** : pub situé sur la Tamise près du pont de Hammersmith.

11. **hard** : 1. (ici) *solide*. 2. *dur*. 3. *rude, rigoureux* (météo).

12. **somethings** : m. à m. *quelque chose* rendu ici par *des informations*.

13. **undone** : p. passé du verbe irrégulier **to undo, undid, undone**, 1. *défaire*. 2. *détruire* ; *annuler* ; *undone* rendu ici par *non fait*.

— Vous savez que je suis tout à fait objectif. Personne d'autre n'aurait fait mieux. Certains peut-être moins bien. Mais vous avez clairement manqué certains points essentiels. Quelle est l'opinion des voisins au sujet de cet homme, Amberley, et de sa femme ? Cela est sûrement important. Et à propos du Dr Ernest ? Était-il le joyeux Lothario auquel on s'attendrait ? Avec vos avantages naturels, Watson, chaque femme est votre aide et votre complice. Qu'en est-il de la fille au bureau de poste, ou de la femme de l'épicier ? Je peux bien vous imaginer en train de chuchoter des petits riens à la jeune femme de l'Ancre Bleue, et recevant en échange des informations solides. Tout cela, vous l'avez laissé, non fait.

— Cela peut être encore fait.

— Ça a été fait. Grâce au téléphone et à l'aide de Scotland Yard, je peux habituellement obtenir ce qui est essentiel sans quitter cette pièce. En réalité, mes renseignements confirment l'histoire du bonhomme. Il a, localement, la réputation d'être un avare et en plus un mari dur et exigeant. Qu'il possédât une importante somme d'argent dans cette chambre forte est certain. Il est aussi vrai que le jeune Dr Ernest, un célibataire, jouait aux échecs avec Amberley, et le trompait probablement avec sa femme. Tout ceci paraît marcher sur des roulettes, et on pourrait croire qu'il n'y a plus rien à dire... et pourtant ! Et pourtant !

— Où se trouve la difficulté ?

---

14. **thanks to the telephone** : le téléphone vient d'être installé à Baker Street. On le retrouvera bientôt dans ***The Adventure of the Three Garridebs*** (1902), etc.

15. **repute** [rɪ'pjuːt] : *réputation*.

16. **miser** ['maɪzər] : *avare* ; *grippe-sou*.

17. **harsh** : 1. (ici) *dur* ; *cruel* ; *sévère*. 2. (temps) *rude, rigoureux*. 3. (voix) *criard, strident*.

18. **exacting** : 1. (ici) *exigeant*. 2. *astreignant*.

19. **unmarried** [ʌn'mærɪd] : *non marié, célibataire*.

20. **to play the fool** : m. à m. *faire le fou* (*avec sa femme*), donc rendu ici par *tromper*.

21. **plain sailing** : m. à m. expression d'origine nautique signifiant *navigation facile*, d'où le sens *ce qui marche tout seul, ce qui marche sur des roulettes*.

22. **to lie** : (ici) *résider, se trouver*. ▶ Voir note 1, p. 142.

"In my imagination, perhaps. Well, leave it there, Watson. Let us escape[1] from this weary workaday[2] world by the side-door[3] of music. Carina[4] sings to-night at the Albert Hall[5], and we still have time to dress, dine, and enjoy."

In the morning I was up betimes[6], but some toast crumbs[7] and two empty eggshells[8] told me that my companion was earlier still. I found a scribbled note upon the table.

DEAR WATSON:

*There are one or two points of contact which I should wish to establish with Mr. Josiah Amberley. When I have done so we can dismiss[9] the case – or not. I would only ask you to be on hand[10] about three o'clock, as I conceive[11] it possible that I may want you.*

*S.H.*

I saw nothing of Holmes all day, but at the hour named[12] he returned, grave, preoccupied, and aloof[13]. At such times it was wiser[14] to leave him to himself.

"Has Amberley been here yet?"

"No."

"Ah! I am expecting him."

He was not disappointed, for presently[15] the old fellow arrived with a very worried[16] and puzzled expression upon his austere face.

"I've had a telegram, Mr. Holmes. I can make nothing[17] of it." He handed it over, and Holmes read it aloud.

---

1. **to escape** [ɪsˈkeɪp] : v. *échapper, s'échapper* ; n. **escape** : 1. *évasion, fuite.* 2. (fumée) *échappement.*

2. **workaday** : adj. *banal* ; *ordinaire.*

3. **side-door** : m. à m. *porte latérale,* d'où rendu ici par *le biais.*

4. **Carina** : nom imaginé par **Doyle** signifiant *chanteuse* en italien.

5. **Albert Hall** : salle consacrée aux arts, nommée **Royal Albert Hall** en l'honneur du prince Albert, mari de la reine Victoria et prince consort.

6. **betimes** : 1. (ici) *tôt, de bonne heure.* 2. *à temps* ; *bientôt.*

7. **crumb** : 1. (ici) *miette* ; *mie.* 2. (US, personne) *nul, nulle.*

8. **eggshell** : *coquille d'œuf.*

9. **to dismiss** : 1. (ici) *classer, en finir.* 2. *congédier, licencier, renvoyer.* 3. *ne pas prendre au sérieux.* 4. *dissoudre.* 5. (mil.) **dismiss !** *rompez (les rangs) !*

— Dans mon imagination, peut-être. Bien, restons-en là, Watson. Échappons-nous de ce monde banal et fatigant par le biais de la musique. Carina chante ce soir à l'Albert Hall, et nous avons encore le temps de nous habiller, de dîner, et d'en profiter.

Au matin, j'étais levé assez tôt, mais quelques miettes de toasts et deux coquilles d'œufs vides m'apprirent que mon compagnon s'était levé encore plus tôt. Je trouvai un mot griffonné sur la table.

*Dear Watson*

*Il y a un ou deux points de contact que je souhaiterais établir avec M. Josiah Amberley. Quand je l'aurai fait nous pourrons en finir avec cette affaire – ou non. Je vous demanderais seulement d'être disponible vers trois heures, car j'imagine que je peux avoir besoin de vous. S.H.*

Je ne vis pas Holmes de la journée mais, à l'heure dite, il revint, grave, préoccupé, et distant. Dans de pareils moments il était plus sage de le laisser à lui-même.

— Amberley est-il déjà là ?
— Non.
— Ah ! Je l'attends.

Il ne fut pas déçu, car bientôt le vieux bonhomme arriva avec un air très préoccupé et une expression perplexe sur son visage austère.

— J'ai reçu un télégramme, monsieur Holmes. Je n'y comprends rien.

Il le passa à Holmes, qui le lut à haute voix :

---

10. **to be on hand** : *être à portée de main*, donc ici *être disponible*.

11. **to conceive** [kən'si:v] : 1. (ici) *penser, imaginer*. 2. *concevoir* (plan). 3. (devenir enceinte) *concevoir*.

12. **the hour named** : m. à m. *l'heure nommée* donc rendu ici par *l'heure dite*.

13. **aloof** : 1. *distant(e)*. 2. *à l'écart*.

14. **wiser** : *plus sage*, comparatif de **wise**, *sage, judicieux (euse)*.

15. **presently** : 1. (ici) *bientôt*. 2. *actuellement, à présent*.

16. **worried** : *préoccupé* ; *inquiet*.

17. **to make nothing of** : 1. (ici) *ne rien comprendre*. 2. *considérer comme sans importance*.

"COME AT ONCE WITHOUT FAIL[1]. CAN GIVE YOU INFORMATION AS TO YOUR RECENT LOSS.

"ELMAN.

"THE VICARAGE[2].

"Dispatched at 2:10 from Little Purlington[3]," said Holmes. "Little Purlington is in Essex[4], I believe, not far from Frinton. Well, of course you will start at once. This is evidently from a responsible person, the vicar of the place. Where is my Crockford[5]? Yes, here we have him: 'J. C. Elman, M.A.[6], Living of Moosmoor cum Little Purlington.' Look up the trains, Watson."

"There is one at 5:20 from Liverpool Street."

"Excellent. You had best[7] go with him, Watson. He may need help or advice. Clearly we have come to a crisis[8] in this affair."

But our client seemed by no means eager to start.

"It's perfectly absurd, Mr. Holmes," he said. "What can this man possibly know of what has occurred? It is waste[9] of time and money."

"He would not have telegraphed to you if he did not know something. Wire at once that you are coming."

"I don't think I shall go."

Holmes assumed[10] his sternest aspect.

"It would make the worst possible impression both on the police and upon myself, Mr. Amberley, if when so obvious[11] a clue[12] arose you should refuse to follow it up[13].

---

1. **without fail** : *sans faute, impérativement.*

2. **vicarage** ['vɪkərɪdʒ] : *presbytère.*

3. **Little Purlington** : village imaginé par Doyle.

4. **Essex** : comté situé au nord-est de Londres, capitale Chelmsford.

5. **Crockford** : le **Crockford's Clerical Directory** (*annuaire, répertoire*) était constamment sur le bureau de Holmes.

6. **M.A.** = **Master of Arts**, *maîtrise ès lettres.*

— VENEZ SANS FAUTE TOUT DE SUITE. PEUX VOUS DONNER RENSEIGNEMENTS SUR VOTRE PERTE RÉCENTE.

ELMAN

THE VICARAGE.

— Expédiée à deux heures dix depuis Little Purlington, dit Holmes. Little Purlington est dans l'Essex, je crois, non loin de Frinton. Bon, vous allez bien sûr partir tout de suite. Cela vient sûrement de quelqu'un de responsable, le pasteur du coin. Où est mon Crockford ? Oui, ici le voilà, J.-C. Elman, M.A., paroisse de Moosmoor cum Little Purlington. Voyez pour les trains, Watson.

— Il y en a un à 17 h 20 de Liverpool Street.

— Parfait. Vous feriez mieux d'aller avec lui, Watson. Il peut avoir besoin d'aide ou de conseils. Clairement nous sommes face à une crise dans cette affaire.

Mais notre client ne paraissait nullement pressé de partir.

— C'est parfaitement absurde, monsieur Holmes, dit-il. Qu'est-ce que cet homme peut bien savoir de ce qui s'est passé ? C'est une perte de temps et d'argent.

— Il ne vous aurait pas télégraphié s'il ne savait pas quelque chose. Télégraphiez tout de suite que vous arrivez.

— Je ne crois pas que j'irai.

Holmes prit son air le plus sévère.

— Cela produirait sur la police et sur moi-même la pire impression possible, monsieur Amberley, si quand se révèle un indice aussi évident, vous refusiez de le suivre.

---

7. **had best** : expression suggérant ce qui est nécessaire de faire.
8. **crisis** ['kraɪsɪs].
9. **waste** : 1. (ici) *perte*. 2. *gâchis, gaspillage*.
10. **to assume** : 1. (ici) *prendre*. 2. *présumer, supposer*. 3. *s'approprier*.
11. **obvious** : 1. *évident*. 2. *prévisible*.
12. **clue** : 1. (ici) *indice ; indication*. 2. *définition*.
13. **to follow up** : 1. (ici) *suivre*. 2. *donner suite*. 3. *renouveler*. 4. *exploiter*.

We should feel that you were not really in earnes[1]t in this investigation."

Our client seemed horrified at the suggestion.

"Why, of course I shall go if you look at it in that way," said he. "On the face of it[2], it seems absurd to suppose that this parson[3] knows anything, but if you think —"

"I do think[4]," said Holmes with emphasis, and so we were launched[5] upon our journey. Holmes took me aside before we left the room and gave me one word of counsel[6], which showed that he considered the matter to be of importance. "Whatever[7] you do, see that he really does go[8]," said he. "Should he break away[9] or return, get to the nearest telephone exchange and send the single[10] word 'Bolted[11].' I will arrange[12] here that it shall reach me wherever I am."

Little Purlington is not an easy place to reach, for it is on a branch line[13]. My remembrance of the journey is not a pleasant one, for the weather was hot, the train slow, and my companion sullen[14] and silent, hardly talking at all save to make an occasional sardonic remark as to the futility of our proceedings[15]. When we at last reached the little station it was a two-mile[16] drive[17] before we came to the Vicarage, where a big, solemn, rather pompous clergyman received us in his study[18]. Our telegram lay before him.

"Well, gentlemen," he asked, "what can I do for you?"

---

1. **in earnest** : adv. *au sérieux, sérieusement*; adj. **earnest**, *sérieux-euse; honnête.*

2. **on the face of it** : 1. (ici) *à première vue.* 2. *en apparence.*

3. **parson** : *pasteur; ecclésiastique.*

4. **I do think** : pour exprimer l'idée d'insistance dans une phrase affirmative, on peut employer l'auxiliaire **do** + infinitif sans **to**, **does** à la troisième personne du singulier et **did** au prétérit.

5. **to launch** : 1. (ici) *lancer.* 2. *mettre à la mer.* 3. *émettre.*

6. **counsel** : 1. (ici) *conseil.* 2. *avocat(e).*

7. **whatever** : 1. (ici) *quoi que.* 2. *tout ce que.* 3. *n'importe.*

8. **does go** : voir plus haut note 4.

9. **to break away** : 1. (ici) *s'échapper.* 2. *se détacher.* 3. *enlever.*

Nous pourrions penser que vous ne prenez pas très au sérieux cette enquête.

Notre client sembla horrifié par cette suggestion.

— Pourquoi, bien sûr j'irai si vous voyez les choses de cette façon, dit-il. À première vue, il semble absurde de supposer que ce pasteur sache quoi que ce soit, mais si vous pensez…

— Je le *pense vraiment*, dit Holmes avec emphase, et ainsi nous fûmes lancés dans notre périple.

Holmes me prit à part avant que nous quittions la pièce et me donna un conseil en quelques mots, qui montraient qu'il considérait l'affaire comme importante.

— Quoi que vous fassiez, assurez-vous qu'il y va vraiment, me dit-il. S'il s'échappait ou revenait, allez au poste téléphonique le plus proche et envoyez ce seul mot : Échappe. Je m'arrangerai pour qu'il m'atteigne où que je sois.

Little Purlington n'est pas un endroit facile à atteindre, car situé sur une voie secondaire. Mon souvenir du voyage n'est pas plaisant, car le temps était chaud, le train lent, et mon compagnon morose et silencieux, parlant à peine sauf pour faire à l'occasion une remarque sardonique sur l'absurdité de nos procédures. Quand nous arrivâmes enfin à la petite gare, il fallait rouler trois kilomètres avant de parvenir au presbytère, où un gros et solennel ecclésiastique, assez pontifiant, nous reçut dans son bureau. Notre télégramme était posé devant lui.

— Bien, messieurs, demanda-t-il, que puis-je faire pour vous ?

---

10. **single** : 1. (ici, adj.) *seul, unique.* 3. *simple* ; *singulier.* 4. *célibataire.* 5. *chambre individuelle.*

11. **bolted** : 1. (ici) *échappé.* 2. *verrou.*

12. **arrange** [ə'reɪndʒ].

13. **branch line** : *ligne secondaire.*

14. **sullen** : 1. (ici) *renfrogné, morose.* 2. (nuage) *menaçant.*

15. **proceedings** : 1. (ici) *procédures, manières d'agir.* 2. *déroulement des événements.*

16. **1 mile** = *1,609 km.*

17. **drive** : 1. (ici) *trajet en voiture.* 2. *rue, avenue, allée.* 4. *énergie, dynamisme.*

18. **study** : 1. (ici) *bureau, cabinet de travail.* 2. *étude.*

"We came," I explained, "in answer to your wire."

"My wire! I sent no wire."

"I mean the wire which you sent to Mr. Josiah Amberley about his wife and his money."

"If this is a joke[1] sir, it is a very questionable[2] one," said the vicar angrily. "I have never heard of the gentleman you name, and I have not sent a wire to anyone[3]."

Our client and I looked at each other[4] in amazement[5].

"Perhaps there is some mistake[6]," said I; "are there perhaps two vicarages[7]? Here is the wire itself, signed Elman and dated from the Vicarage."

"There is only one vicarage, sir, and only one vicar, and this wire is a scandalous forgery[8], the origin of which shall certainly be investigated[9] by the police. Meanwhile[10], I can see no possible object in prolonging this interview."

So Mr. Amberley and I found ourselves on the roadside in what seemed to me to be the most primitive village in England. We made for[11] the telegraph office, but it was already closed. There was a telephone, however, at the little Railway Arms, and by it I got into touch[12] with Holmes, who shared[13] in our amazement at the result of our journey.

"Most singular!" said the distant voice. "Most remarkable!

---

1. **joke** : 1. (ici) *plaisanterie*. 2. *risée*.

2. **questionable** : *douteux (euse)* ; *discutable*. 2. *contestable*.

3. **anyone** : 1. (ici) *quiconque*. 2. *n'importe qui*.

4. **each other** : pronom réciproque signifiant *l'un l'autre de deux*.

5. **amazement** : *stupeur, supéfaction, étonnement, ébahissement*.

6. **mistake** : 1. (ici) *erreur*. 2. *faute* ; **to mistake, mistook, mistaken**, *se tromper, mal comprendre*.

7. **vicarage** : *presbytère* ; *paroisse* ; *cure*.

— Nous sommes venus, expliquai-je, en réponse à votre télégramme.

— Mon télégramme ! Je n'ai envoyé aucun télégramme.

— Je parle du télégramme que vous avez envoyé à M. Josiah Amberley au sujet de sa femme et de son argent.

— S'il s'agit d'une plaisanterie, monsieur, elle est tout à fait douteuse, dit le pasteur avec colère. Je n'ai jamais entendu parler de ce monsieur dont vous parlez, et je n'ai pas envoyé de télégramme à quiconque.

Notre client et moi nous nous regardâmes stupéfaits.

— Il y a peut-être eu une erreur, dis-je ; y a-il peut-être deux presbytères ? Voici le télégramme lui-même, signé Elman et posté du presbytère.

— Il n'y a qu'un presbytère, monsieur, et un seul pasteur, et ce télégramme est un faux scandaleux, dont la police cherchera certainement à trouver l'origine. En attendant, je ne vois aucune raison valable de prolonger cet entretien.

Aussi M. Amberley et moi-même nous retrouvâmes sur le bord de la route dans ce qui me parut être le village le plus primitif de l'Angleterre. Nous nous rendîmes au bureau du télégraphe, mais il était déjà fermé. Il y avait cependant un téléphone à la petite auberge des Armes du Rail, et ainsi je me mis en rapport avec Holmes, qui partagea notre stupéfaction devant le résultat de notre voyage.

— Des plus singulier, dit la voix lointaine. Des plus remarquable !

---

8. **forgery** : *faux* ; *contrefaçon* ; *falsification* ; **to forge**, 1. *contrefaire*. 2. *forger*.

9. **to investigate** : *enquêter, chercher à savoir* ; *examiner* ; *étudier*.

10. **meanwhile** : *en attendant* ; *pendant ce temps, entre-temps*.

11. **to make for** : 1. (ici) *se diriger, se rendre*. 2. *mener à*.

12. **to get in touch with** : *se mettre en rapport avec, joindre, prendre contact avec*.

13. **to share** : 1. (ici) *partager* ; *prendre part*. 2. *compatir à*.

I much fear, my dear Watson, that there is no return train to-night. I have unwittingly[1] condemned you to the horrors of a country inn. However, there is always Nature[2], Watson – Nature and Josiah Amberley – you can be in close commune[3] with both." I heard his dry chuckle[4] as he turned away[5].

It was soon apparent to me that my companion's reputation as a miser was not undeserved[6]. He had grumbled[7] at the expense of the journey, had insisted upon travelling third-class, and was now clamorous[8] in his objections to the hotel bill[9]. Next morning, when we did[10] at last arrive in London, it was hard to say which of us was in the worse humour.

"You had best take Baker Street as we pass," said I. "Mr. Holmes may have some fresh[11] instructions."

"If they are not worth more than the last ones they are not of much use," said Amberley with a malevolent[12] scowl[13]. None the less[14] he kept me company. I had already warned[15] Holmes by telegram of the hour of our arrival, but we found a message waiting that he was at Lewisham and would expect us there. That was a surprise, but an even[16] greater one was to find that he was not alone in the sitting-room of our client. A stern-looking, impassive man sat beside him, a dark man with gray-tinted glasses and a large Masonic pin projecting from his tie.

"This is my friend Mr. Barker," said Holmes.

---

1. **unwittingly** : *involontairement, sans le vouloir, sans le faire exprès.*

2. **Nature** ['neɪtʃəʳ].

3. **commune** : 1. (ici) m. à m. *communauté* rendu ici par *communion.* 2. (administration) *commune.*

4. **chuckle** : *petit rire, gloussement.*

5. **to turn away** : 1. (ici) *raccrocher.* 2. (plus souvent) *se détourner, tourner la tête ; détourner.*

6. **undeserved** : *injustifié(e), immérité(e), usurpé(e).*

7. **to grumble** : *récriminer, ronchonner ; grommeler.*

8. **clamorous** : *bruyant ; insistant.*

Je crains fort, mon cher Watson, qu'il n'y ait pas de train pour revenir ce soir. Je vous ai, sans le vouloir, condamné aux horreurs des auberges de campagne. Cependant, il y a toujours la nature, Watson – la nature et Josiah Amberley –, vous pouvez être en étroite communion avec les deux. J'entendis son petit rire sec quand il raccrocha.

Il m'apparut bientôt que la réputation de grippe-sou de mon compagnon n'était pas usurpée. Il avait récriminé pour la dépense du voyage, avait insisté pour voyager en troisième classe, et maintenant contestait bruyamment la note de l'hôtel. Le lendemain matin, il était difficile de dire lequel de nous était de plus mauvaise humeur, quand nous arrivâmes enfin à Londres.

— Vous feriez mieux de vous arrêter à Baker Street en passant, dis-je. M. Holmes aura peut-être de nouvelles instructions.

— Si elles ne valent pas plus que les dernières, elles ne nous seront guère utiles, dit Amberley avec une grimace malveillante.

Néanmoins il resta en ma compagnie. J'avais déjà averti Holmes par télégramme de l'heure de notre arrivée, mais nous trouvâmes un message nous informant qu'il se trouvait à Lewisham et nous y attendait. C'était une surprise, mais une encore plus grande fut de trouver qu'il n'était pas seul dans le salon de notre client. Un homme à la mine grave et impassible était assis à côté de lui, un homme brun aux lunettes tintées, avec une grosse épingle maçonnique dépassant de sa cravate.

— Voici mon ami M. Barker, dit Holmes.

---

9. **bill** : 1. (ici) *note, facture, addition, note.* 2. (US) *billet* (de banque). 3. *affiche.* 4. *projet de loi.* 5. *bec.*

10. **we did arrive** : rappel : **did**, insistance, voir note 4, p. 160.

11. **fresh** : 1. (ici) *nouveau, nouvelle ; original(e).* 2. *frais.* 3. *douce* (eau).

12. **malevolent** : *malveillant(e).*

13. **scowl** : *grimace, air renfrogné.*

14. **none the less** : *néanmoinsi, toutefois.*

15. **to warn** : *avertir ; prévenir.*

16. **even** : adv. 1. (ici) plus un comparatif, **greater**, *encore.* 2. *même.* 3. adj. : *égal, régulier ; pair* (nombre) ; *plat, uni.*

"He has been interesting himself also in your business, Mr. Josiah Amberley, though [1]we have been working independently. But we both have the same question to ask you!"

Mr. Amberley sat down[2] heavily. He sensed[3] impending[4] danger. I read it in his straining[5] eyes and his twitching[6] features.

"What is the question, Mr. Holmes?"

"Only this: What did you do with the bodies?"

The man sprang[7] to his feet with a hoarse[8] scream[9]. He clawed[10] into the air with his bony[11] hands. His mouth was open, and for the instant he looked like some horrible bird of prey. In a flash[12] we got a glimpse of the real Josiah Amberley, a misshapen[13] demon with a soul[14] as distorted[15]as his body. As he fell back into his chair he clapped[16] his hand to his lips as if to stifle[17] a cough. Holmes sprang at his throat like a tiger and twisted his face towards the ground. A white pellet[18] fell from between his gasping lips.

"No short cuts[19], Josiah Amberley. Things must be done decently and in order. What about it, Barker?"

"I have a cab at the door," said our taciturn companion.

"It is only a few hundred yards to the station. We will go together. You can stay here, Watson. I shall be back within half an hour[20]."

The old colourman had the strength of a lion in that great trunk[21] of his, but he was helpless in the hands of the two experienced man-handlers[22].

---

1. **though** : 1. (ici) conjonction : *bien que, quoique*. 2. adverbe : *pourtant*.

2. **to sit down** : *s'asseoir*, **to sit, sat, sat**.

3. **to sense** : 1. (ici) *sentir*. 2. *pressentir*. 3. *détecter*.

4. **impending** : 1. (ici) *imminent* ; *prochain*. 2. *menaçant*.

5. **straining** : (ici) *tendu*. **to strain** : 1. *fatiguer*. 2. *tendre*. 3. *forcer, s'efforcer*. 4. *mettre à l'épreuve*. 5. *tirer fort, pousser fort*.

6. **twitching** : *contracté* ; **to twitch** : 1. (ici) *se contracter* ; *avoir un tic*. 2. *s'agiter, se remuer*.

7. **sprang** : prétérit du verbe irrégulier **to spring, sprang, sprung**. 1. (ici) *bondir, sauter*. 2. *se précipiter*. 3. *venir, provenir*. 4. *déclencher*. 5. *annoncer de but en blanc*. 6. *faire sortir* (de prison).

8. **hoarse** : 1. (ici) *rauque*. 2. *enroué(e)*.

9. **scream** : 1. (ici) *cri perçant, hurlement*. 2. (personne) *désopilante(e)*.

— Il s'est aussi intéressé à votre affaire, monsieur Josiah Amberley, bien que nous ayons travaillé de manière indépendante. Mais nous avons tous les deux la même question à vous poser !

M. Amberley s'assit lourdement. Il sentait un danger imminent. Je lus cela dans son regard tendu et ses traits contractés.

— Quelle est la question, monsieur Holmes ?

— Seulement ceci : qu'avez-vous fait des corps ?

L'homme sauta sur ses pieds avec un cri rauque. Il agrippa l'air de ses mains osseuses. Sa bouche était ouverte, et pendant un instant il ressembla à un horrible oiseau de proie. En un éclair, nous aperçûmes le véritable Josiah Amberley, un démon difforme à l'âme aussi tordue que son corps. Alors qu'il retombait sur son siège, il mit la main à ses lèvres comme pour réprimer une toux. Holmes lui sauta à la gorge comme un tigre et lui tordit la tête vers le sol. Une pilule blanche tomba de sa bouche haletante.

— Pas de raccourcis, Josiah Amberley. Les choses doivent être faites décemment et dans l'ordre. Qu'en est-il, Barker ?

— J'ai un fiacre à la porte, dit notre taciturne compagnon.

— Ce n'est qu'à quelques centaines de mètres du poste de police. Nous irons ensemble. Vous pouvez rester ici, Watson. Je serai de retour dans la demi-heure.

Le vieux marchand de couleur avait la force d'un lion dans sa grande carcasse, mais il fut impuissant entre les mains de deux brutes expérimentées.

---

10. **to claw** : 1. (ici) *accrocher, agripper*. 2. *déchirer*.

11. **bony** : adj. 1. (ici) *osseux (euse)* ; (personne) *décharné(e)*. 2. (poisson) *plein d'arêtes* ; (viande) *plein(e) d'os*.

12. **flash** : 1. (ici) *éclair* ; *reflet, éclat*. 2. *flash* (information).

13. **misshapen** : *difforme, tordu,* ; *déformé(e)*.

14. **soul** : 1. (ici) *âme*. 2. *modèle* (parfait exemple). 3. *personne*.

15. **distorted** : 1. (ici) *déformé(e), tordu(e)*. 2. *faussé* (jugement).

16. **to clap** : 1. (ici) *mettre, poser*. 2. *applaudir, frapper dans ses mains*. 3. *taper*.

17. **to stifle** : 1. (ici) *réprimer*. 2. *étouffer, suffoquer*.

18. **pellet** : 1. (ici) *pilule*. 2. *boulette*. 3. *plomb* (pour fusil).

19. **short cuts** : *raccourci* ; *moyen rapide*.

20. **within half an hour** : m. à m. *en moins d'une demi-heure*.

21. **trunk** : 1. (ici) *tronc* donc rendu par *carcasse*. 2. *malle* ; *coffre* (auto). 3. *trompe* (éléphant).

22. **to man-handle** : *traiter sans ménagement, avec brutalité*.

Wriggling[1] and twisting[2] he was dragged[3] to the waiting cab, and I was left to my solitary vigil[4] in the ill-omened[5] house. In less time than he had named, however, Holmes was back, in company with a smart[6] young police inspector.

"I've left Barker to look after[7] the formalities," said Holmes. "You had not met Barker, Watson. He is my hated[8] rival upon the Surrey[9] shore[10]. When you said a tall dark man it was not difficult for me to complete[11] the picture. He has several good cases to his credit, has he not, Inspector?"

"He has certainly interfered[12] several times," the inspector answered with reserve[13].

"His methods are irregular, no doubt, like my own. The irregulars are useful sometimes, you know. You, for example, with your compulsory[14] warning[5] about whatever he said being used against him, could never have bluffed this rascal into[16] what is virtually a confession."

"Perhaps not. But we get there all the same, Mr. Holmes. Don't imagine that we had not formed our own views of this case, and that we would not have laid our hands on our man. You will excuse us for feeling sore[17] when you jump in[18] with methods which we cannot use, and so rob[19] us of the credit."

"There shall be no such robbery[20], MacKinnon.

---

1. **to wriggle** : 1. (ici) *gigoter*; *se tortiller*. 2. *frétiller*.

2. **to twist** : 1. (ici) *se tortiller*. 2. *tordre*; *tourner*; *visser*. 2. *tresser*; *enrouler*.

3. **dragged** : p. passé de **to drag** : 1. (ici) *traîner, tirer*. 2. *draguer* (lac, mer). 3. *s'éterniser*. 4. *frotter, gripper* (freins).

4. **vigil** : 1. (ici) *veille*. 2. *veillée* (funèbre).

5. **ill-omened** : 1. (ici) *de mauvais augure*. 2. *voué à l'échec*. 3. *fâcheux*.

6. **smart** : 1. (ici) *élégant*. 2. *adroit, habile, astucieux*. 3. *malin, rusé*.

7. **to look after** : 1. (ici) *s'occuper de, prendre soin de*. 2. *garder, surveiller*.

8. **hated** : p. passé de **to hate** : 1. (ici) *détester*. 2. *abhorrer, haïr*. 3. *en vouloir*. 4. *être désolé*.

9. **Surrey** : comté du sud-est de l'Angleterre, capitale Guilford, bordé au nord par la Tamise et divisé en 11 districts.

10. **shore** : 1. (ici) *bord*. 2. *rive, rivage*. 3. *côte, littoral*; *terre*. 4. *étai, étançon*.

11. **to complete** : 1. (ici) *compléter*; *achever, finir*. 2. *remplir* (formulaire).

12. **to interfere** [ˌɪntər'fɪər] : *interférer, s'immiscer, s'en mêler, s'ingérer, être un obstacle*.

Gigotant et se tortillant, il fut traîné jusqu'au fiacre qui attendait, et je fus laissé à ma veille solitaire dans cette maison de mauvais augure. En moins de temps qu'il n'avait dit, Holmes était de retour, en compagnie d'un jeune et élégant inspecteur de police.

— J'ai laissé Barker s'occuper des formalités, dit Holmes. Vous n'avez pas rencontré Barker, Watson. C'est mon rival détesté sur le bord du Surrey. Quand vous m'avez parlé d'un grand homme brun, cela ne m'a pas été difficile de compléter le tableau. Il a plusieurs bonnes affaires à son crédit, n'est-ce pas, inspecteur ?

— Il a certainement interféré plusieurs fois, répondit l'inspecteur avec réserve.

— Ses méthodes sont irrégulières, sans doute, comme les miennes. Les irréguliers sont parfois utiles, vous savez. Vous, par exemple, avec votre avertissement obligatoire que tout ce qu'il dit peut être utilisé contre lui, vous n'auriez jamais pu obtenir, en bluffant ce bandit, ce qui est virtuellement une confession.

— Peut-être que non. Mais nous arrivons là au même résultat, monsieur Holmes. N'imaginez pas que nous n'avions pas formé notre propre vue sur l'affaire, et que nous n'aurions pas mis la main sur notre homme. Vous nous excuserez d'être irrité quand vous intervenez avec des méthodes que nous ne pouvons utiliser, et qu'ainsi vous nous volez le crédit.

— Il n'y aura pas un tel vol, MacKinnon.

---

13. **reserve** [rɪ'zɜːʳv] : 1. *réserve, retenue* (modestie). 2. *réserve* (stock). 3. *réticence.* 4. *réserve* (chasse, pêche). 5. *la réserve* (armée). 6. *réserve* (resserre dans magasin).

14. **compulsory** : 1. (ici) *obligatoire.* 2. *irrésistible.*

15. **warning** : 1. (ici) *avertissement.* 2. *alerte, alarme.* 3. *conseil.*

16. **to bluff into** : c'est la préposition **into** qui traduit l'action principale, *obtenir une confession*, et le verbe **to bluff** qui précise la manière dont celle-ci se fait.

17. **sore** : 1. (ici, sens figuré) *irrité* (en colère) ; *remonté.* 2. *irrité* (enflammé) ; *endolori, douloureux.*

18. **to jump in** : 1. (ici) *intervenir ; s'impliquer ; prendre part à.* 2. *sauter dans ; se jeter.*

19. **to rob** : 1. (ici) *voler.* 2. *priver.*

20. **robbery** : *vol, hold-up, cambriolage.*

I assure you that I efface myself from now onward[1], and as to Barker, he has done nothing save what I told him."

The inspector seemed considerably relieved[2].

"That is very handsome[3] of you, Mr. Holmes. Praise[4] or blame can matter[5] little to you, but it is very different to us when the newspapers begin to ask questions."

"Quite so. But they are pretty sure[6] to ask questions anyhow[7], so it would be as well to have answers. What will you say, for example, when the intelligent and enterprising[8] reporter asks you what the exact points were which aroused[9] your suspicion, and finally gave you a certain conviction as to the real facts?"

The inspector looked puzzled.

"We don't seem to have got any real facts yet, Mr. Holmes. You say that the prisoner, in the presence of three witnesse[10], practically confessed by trying to commit suicide[11], that he had murdered[12] his wife and her lover[13]. What other facts have you?"

"Have you arranged for a search[14]?"

"There are three constables[15] on their way."

"Then you will soon get the clearest fact of all. The bodies cannot be far away. Try the cellars[16] and the garden. It should not take long to dig up[17] the likely[18] places. This house is older than the water-pipes[19]. There must be a disused[20] well[21] somewhere. Try your luck there."

---

1. **from now onward** : 1. *à partir de maintenant*; *désormais*; *dorénavant*. 2. *dès lors*.

2. **relieved** [rɪ'li:vd] : 1. (ici) *soulagé*. 2. *débarrassé(e)*. 3. *relevé(e)* (d'un poste).

3. **handsome** : 1. (ici) *élégant(e)*. 2. *beau, belle*. 3. *généreux (euse)*. 4. *sincère*. 5. *bon* (prix) ; *jolie, coquette, rondelette* (somme).

4. **praise** : 1. (ici) *louange, éloge*. 2. (religion) *gloire* (à Dieu).

5. **to matter** : 1.(ici) *importer*. 2. **to matter to someone** : *tenir à qqn* ; *compter pour qqn*.

6. **pretty sure** : *pratiquement certain* ; *à peu près sûr(e)* ; *quasiment sûr(e)*.

7. **anyhow** : *de toute façon* ; *en tout cas*.

8. **enterprising** : *entreprenant* ; *plein d'initiative*.

9. **to arouse** : 1. (ici) *éveiller* (soupçons) ; *réveiller*. 2. *provoquer, stimuler*.

10. **witness** : 1. (ici) *témoin*. 2. *témoignage*.

11. **suicide** ['su:ɪsaɪd].

— Je vous assure que je m'efface à partir de maintenant, et quant à Barker, il n'a rien fait que ce que je lui ai dit.

L'inspecteur parut considérablement soulagé.

— C'est très élégant de votre part, monsieur Holmes. La louange ou le blâme peuvent vous importer peu, mais c'est très différent pour nous quand les journaux commencent à poser des questions.

— Tout à fait. Mais il est pratiquement certain qu'ils poseront de toute façon des questions, il serait aussi bien d'avoir des réponses. Que direz-vous, par exemple, quand un reporter intelligent et entreprenant vous demandera quels sont les points exacts qui ont éveillé vos soupçons, et qui finalement vous ont donné une conviction certaine quant aux faits réels ?

L'inspecteur parut embarrassé.

— Il semble que nous n'avons pas encore de faits réels, monsieur Holmes. Vous dites que le prisonnier, en présence de trois témoins, en tentant de se suicider, a pratiquement avoué qu'il avait assassiné sa femme et son amant. Quels autres faits possédez-vous ?

— Avez-vous organisé une perquisition ?

— Il y a trois enquêteurs en route.

— Alors vous obtiendrez bientôt le fait le plus évident de tous. Les corps ne peuvent pas être loin. Essayez les caves et le jardin. Cela ne devrait pas prendre longtemps de retourner les endroits les plus probables. La maison est plus ancienne que les canalisations. Il doit y avoir un puits désaffecté quelque part. Tentez votre chance là.

---

12. **to murder** : 1. (ici) *assassiner* ; *tuer*. 2. sens figuré : *se taper* (une bière) ; *massacrer* (une pièce de théâtre).

13. **lover** : 1. (ici) *amant(e)* ; *maîtresse*. 2. *amateur (trice)* (musique, etc).

14. **search** [sɜːrtʃ] : 1. (ici) *perquisition* ; *fouille*. 2. *recherche(s)*.

15. **constable** : 1. (ici) *enquêteurs*. 2. *agent* ; *gendarme*.

16. **cellar** : 1. (ici) *cave* ; *cellier*.

17. **to dig up** : prét. et p. passé **dug**. 1. (ici) *retourner* ; *déterrer* ; *bêcher*. 2. *dénicher*.

18. **likely** : adj. 1. (ici) *probable* ; *susceptible*. 2. *prometteur*. 3. adverbe : *probablement, sans doute*.

19. **water-pipe** : 1. (ici) *conduite* ou *canalisation d'eau*. 2. *narguilé*.

20. **disused** [dɪsˈjuːzd] : *abandonné, désaffecté*.

21. **well** : nom 1. (ici) *puits*. 2. *cage* (d'escalier). 3. (jur. au tribunal) *barreau*.

"But how did you know of it, and how was it done?"

"I'll show you first how it was done, and then I will give the explanation which is due[1] to you, and even more to my long-suffering[2] friend here, who has been invaluable[3] throughout[4]. But, first, I would give you an insight[5] into this man's mentality. It is a very unusual one – so much so that I think his destination is more likely to be Broadmoor[6] than the scaffold[7]. He has, to a high degree, the sort of mind which one associates with the mediaeval Italian nature rather than with the modern Briton. He was a miserable miser who made his wife so wretched[8] by his niggardly[9] ways that she was a ready prey[10] for any adventurer. Such a one came upon the scene in the person of this chess-playing doctor. Amberley excelled at chess – one mark[11], Watson, of a scheming[12] mind. Like all misers, he was a jealous man, and his jealousy became a frantic mania. Rightly or wrongly, he suspected an intrigue. He determined to have his revenge, and he planned it with diabolical cleverness[13]. Come here!"

Holmes led us along the passage with as much certainty[14] as if he had lived in the house and halted[15] at the open door of the strong-room.

"Pooh! What an awful smell of paint!" cried the inspector.

"That was our first clue," said Holmes. "You can thank Dr. Watson's observation for that, though he failed[16] to draw the inference[17].

---

1. **due** : adj. 1. (ici) *dû, due*, pour une explication, ou une somme. 2. pour une heure. 3. pour le respect.

2. **longsuffering** : 1. (ici) *d'une patience à tout épreuve*. 2. *résigné(e)*.

3. **invaluable** : *inestimable* ; *très précieux (euse)*.

4. **throughout** : (ici) *tout au long, pendant tout le temps, du début à la fin*. 2. *partout*. 3. *pendant*.

5. **insight** : 1. (ici) *aperçu, idée*. 2. *perspicacité* ; *compréhension*.

6. **Broadmoor** : hôpital psychiatrique de haute sécurité situé à Crowthorne dans le Berkshire en Angleterre.

7. **scaffold** : 1. (ici) *échafaud*. 2. *échafaudage* (construction).

8. **wretched** : 1. (ici) *malheureuse*. 2. *misérable*. 3. *déprimé(e), démolarisé(e)*. 4. *malade*. 5. *fichu, maudit*. 6. *lamentable*.

9. **niggardly** : 1. adj. *avare, pingre* ; *chiche, parcimonieux*. 2. adverbe : *chichement, parcimonieusement*.

— Mais comment l'avez-vous su, et comment a-t-il été fait ?

— Je vous montrerai d'abord comment ça a été fait, et puis je vous donnerai l'explication qui vous est due, et encore plus à mon ami, ici présent, d'une patience à toute épreuve, qui a été inestimable tout au long de l'enquête. Mais d'abord, je voudrais vous donner un aperçu de la mentalité de cet individu. Elle est très inhabituelle – à tel point que je pense que sa destination est plus susceptible d'être Broadmoor que l'échafaud. Il possède, à un degré élevé, la sorte d'esprit que l'on associe à un tempérament italien du Moyen Âge plutôt qu'à celui d'un Britannique d'aujourd'hui. C'était un misérable avare qui rendit sa femme si malheureuse par ses manières de pingre qu'elle était une proie prête pour le premier aventurier venu. Un tel homme entra en scène en la personne de ce médecin joueur d'échecs. Amberley excellait à ce jeu ; la marque, Watson, d'un esprit calculateur. Comme tous les avares, c'était un homme jaloux, et sa jalousie devint une obsession frénétique. Vrai ou non, il suspectait une liaison. Il était déterminé à prendre sa revanche, et la planifia avec une habileté démoniaque. Venez ici !

Holmes nous conduisit le long du couloir avec autant d'assurance que s'il avait vécu dans la maison et s'arrêta devant la porte ouverte de la chambre forte.

— Pouah ! Quelle horrible odeur de peinture ! s'écria l'inspecteur.

— C'était notre premier indice, dit Holmes. Vous pouvez remercier le sens de l'observation du Dr Watson pour cela, bien qu'il ait échoué à en tirer une conclusion.

---

10. **prey** : n. *proie* ; verbe : **to prey on** : *faire sa proie de.* 2. *ronger* (l'esprit).

11. **mark** : 1. (ici) *marque, signe.* 2. *trace.* 3. *note.* 4. *empreinte, impression.* 5. (GB) *but, cible.* 6. (sport) **on your marks**, *à vos marques...* 7. (monnaie) *mark.*

12. **scheming** : 1. (ici) adj. *intrigant(e), calculateur (trice).* 2. n. *conspirateur, intrigant(e).*

13. **cleverness** : *habileté, astuce* ; *ruse* ; *intelligence, ingéniosité.*

14. **certainty** : 1. (ici) *assurance.* 2. *certitude, conviction* 3. *événement certain.*

15. **to halt** [hɒlt] : 1. (ici) *s'arrêter* ; *arrêter* ; *stopper* ; *interrompre.* 2. (arch.) *boiter.*

16. **to fail** : 1. (ici) *échouer.* 2. (school) *être recalé.* 3. *tomber en panne.* 4. *décevoir.*

17. **inference** : 1. (ici) *conclusion.* 2. *déduction.*

It set my foot upon the trail[1]. Why should this man at such a time be filling his house with strong odours[2]? Obviously[3], to cover some other smell which he wished to conceal[4] – some guilty[5] smell which would suggest suspicions. Then came the idea of a room such as you see here with iron door and shutter – a hermetically sealed[6] room. Put those two facts together, and whither[7] do they lead? I could only determine that by examining the house myself. I was already certain that the case was serious, for I had examined[8] the box-office[9] chart[10] at the Haymarket Theatre – another of Dr. Watson's bull's-eyes[11] – and ascertained[12] that neither B thirty nor thirty-two of the upper circle had been occupied that night. Therefore, Amberley had not been to the theatre, and his alibi[13] fell to the ground[14]. He made a bad slip[15] when he allowed my astute friend to notice the number of the seat taken for his wife. The question now arose how I might be able to examine the house. I sent an agent to the most impossible village I could think of, and summoned[16] my man to it at such an hour that he could not possibly get back[17]. To prevent[18] any miscarriage[19], Dr. Watson accompanied him. The good vicar's name I took, of course, out of my Crockford. Do I make it all clear to you?"

"It is masterly[20]," said the inspector in an awed[21] voice.

"There being no fear of interruption I proceeded[22] to burgle[23] the house.

---

1. **trail** : 1. (ici) *piste* ; *trace*. 2. *chemin* ; *sentier*. 3. *traînée* (sang).

2. **odour, odor** (US) : 1. (ici) *odeur*. 2. *arôme, parfum*. 3. (GB) **to be in good/bad odour with sb** : *être bien/mal vu de qqn*.

3. **obviously** : 1. (ici) *de toute évidence*. 2. *manifestement, clairement*.

4. **to conceal** : 1. (ici) *dissimuler, cacher*. 2. *enfouir*.

5. **guilty** : *coupable* ; *responsable*.

6. **to seal** : 1. (ici) *fermer* 2. *cacheter* ; *coller* ; *souder*. 3. *apposer son sceau*. 4. (jur.) *mettre sous scellés*. 5. (cuisine) *saisir*.

7. **whither** : (arch. ou lit.) *vers où*.

8. **examined** [ɪgˈzæmɪnd].

9. **box-office** : *chiffre d'affaires*.

10. **chart** : 1.(ici) *courbe*.

11. **bull's-eyes** : *mille* ; *centre de la cible* : **to hit the bull's-eye**, *mettre dans le mille, faire mouche*.

Cela m'a mis sur la piste. Pourquoi cet homme, à un tel moment, remplirait-il sa maison d'odeurs fortes ? De toute évidence pour couvrir une autre odeur qu'il souhaitait dissimuler – une odeur coupable qui éveillerait des soupçons. Puis vint l'idée d'une pièce comme celle que vous voyez avec une porte en fer et un volet – une chambre hermétiquement fermée. Mettez ces deux faits ensemble, et où mènent-ils ? Je pouvais le déterminer seulement en examinant la maison moi-même. J'étais déjà certain que cette affaire était sérieuse, car j'avais examiné le guichet de location au théâtre du Haymarket – une autre fois où le Dr Watson avait mis dans le mille – et avais vérifié que ni le 30 ni le 32 du rang B du balcon n'avaient été occupés cette soirée-là. Amberley n'était pas allé au théâtre, et son alibi tombait à l'eau. Il a commis un faux pas quand il a permis à mon astucieux ami de noter le numéro du fauteuil loué pour sa femme. La question qui se posait maintenant était de savoir comment je pourrais examiner la maison. J'envoyai un agent dans le village le plus improbable auquel je pouvais penser, et convoquai mon homme à une heure telle qu'il ne pourrait pas rentrer le jour même. Pour prévenir toute erreur, le Dr Watson l'a accompagné. Le nom du brave pasteur, je l'avais pris, bien sûr, de mon Crockford. Est-ce que j'ai présenté tout cela de façon claire ?

— C'est magistral, dit l'inspecteur.

— N'ayant pas la crainte d'être interrompu, j'ai entrepris de cambrioler la maison.

---

12. **to ascertain** : *vérifier* ; *établir* ; *constater*.

13. **alibi** ['ælɪbaɪ].

14. **fell to the ground** : 1. (ici, sens figuré) m. à m. *tomber à terre* donc rendu ici par *tomber à l'eau*.

15. **bad slip** : (ici) m. à m. *mauvaise erreur* donc rendu ici par *faux pas*.

16. **to summon** : 1. (ici) *convoquer* ; *faire venir*. 2. (jur.) *citer*, *assigner*. 3. *rassembler*, *faire appel*. 4. *sommer*, *ordonner*.

17. **to get back** : 1. (ici) *rentrer* ; *retourner*. 2. *reprendre*.

18. **to prevent** : *prévenir*, *empêcher*.

19. **miscarriage** : 1. (ici) *erreur* (judiciaire). 2. *fausse couche*.

20. **masterly** : *magistral*.

21. **awed** : *impresssionné(e)*.

22. **to proceed** : voir note 16, p. 145.

23. **to burgle** : *cambrioler*.

Burglary has always been an alternative[1] profession had I cared[2] to adopt it, and I have little doubt that I should have come to the front[3]. Observe what I found. You see the gas-pipe[4] along the skirting[5] here. Very good. It rises in the angle of the wall, and there is a tap[6] here in the corner. The pipe runs out[7] into the strong-room, as you can see, and ends[8] in that plaster rose[9] in the centre of the ceiling, where it is concealed[10] by the ornamentation. That end is wide open. At any moment by turning the outside tap the room could be flooded[11] with gas. With door and shutter closed and the tap full on[12] I would not give two minutes of conscious sensation to anyone shut up[13] in that little chamber. By what devilish[14] device[15] he decoyed[16] them there I do not know, but once inside the door they were at his mercy."

The inspector examined the pipe with interest. "One of our officers mentioned the smell of gas," said he, "but of course the window and door were open then, and the paint – or some of it – was already about. He had begun the work of painting the day before, according to[17] his story. But what next, Mr. Holmes?"

"Well, then came an incident which was rather unexpected[18] to myself. I was slipping[19] through the pantry[20] window in the early dawn[21] when I felt a hand inside my collar, and a voice said: 'Now, you rascal, what are you doing in there?'

---

1. **alternative** : 1. (ici adj.) *autre, de rechange*. 2. *hors norme ; peu conventionnel ; parallèle*.

1. **to care** : 1. (ici) m. à m. *se soucier de* rendu par *décidé*.

3. **to come to the front** : m. à m. *venir en première ligne* rendu ici par *parmi les meilleurs*.

4. **gas-pipe** : *tuyau de gaz*.

5. **skirting** : (GB) *plinthe*.

6. **tap** : 1. (ici) *robinet*. 2. *petit coup, petite tape*. 3. *claquettes* (dance) ; **to tap a telephone** : *mettre un téléphone sur table d'écoute*.

7. **to run out** : 1. (ici) *s'écouler*. 2. *manquer* (munitions, temps). 3. *expirer* (passeport).

8. **to end** : 1. (ici) *se terminer ; s'achever ; s'arrêter*. 2. *arrêter, finir*.

9. **rose** : 1. (ici) *rosace*. 2. *rose* (fleur) ; *rosier*. 3. *rose* (couleur). 4. *rosette*.

— Le cambriolage a toujours été une profession alternative, eussé-je décidé de l'adopter, et je n'ai guère de doute que j'aurais été parmi les meilleurs. Observez ce que j'ai trouvé. Vous voyez ici la conduite de gaz le long de la plinthe. Très bien. Elle monte dans l'angle du mur, et il y a un robinet ici dans le coin. Le tuyau entre dans la chambre forte, comme vous pouvez le voir, et se termine dans cette rosace en plâtre au centre du plafond où elle est masquée par l'ornementation. Cette extrémité est grande ouverte. À tout moment, en tournant le robinet extérieur, la chambre pouvait être inondée de gaz. Avec la porte et le volet fermés et le robinet grand ouvert je ne donnerais pas deux minutes de conscience à quiconque enfermé dans cette petite pièce. Par quel démoniaque procédé les a-t-il attirés là je ne sais pas, mais une fois à l'intérieur ils étaient à sa merci.

L'inspecteur examina le tuyau avec intérêt.

— Un de nos agents mentionnait l'odeur de gaz, dit-il, mais bien sûr la fenêtre et la porte étaient ouvertes, et la peinture – ou une partie – était déjà en cours. Il avait commencé à peindre la veille, selon ses dires. Mais quoi ensuite, monsieur Holmes ?

— Eh bien, il s'est produit ensuite un incident plutôt inattendu pour moi. Tôt le matin, j'étais en train de me glisser par la fenêtre de l'office lorsque j'ai senti une main dans mon col, et une voix dire : « Alors, vaurien, qu'est-ce que tu fais ici ? »

---

10. **to conceal** : 1. (ici) *cacher, masquer*. 2. *dissimuler*. 3. *enfouir*.

11. **to flood** [flʌd] : 1. (ici) *inonder*. 2. *faire déborder*. 3. *être en crue*.

12. **full on** : 1. (ici) *grand ouvert*. 2. *intense*. 3. *complet*.

13. **to shut up** : 1. (ici) *enfermer*. 2. *fermer*. 3. *se taire*. 4. *faire taire*.

14. **devilish** : 1. (ici) *diabolique, démoniaque, infernal*. 2. *espiègle*.

15. **device** [dɪ'vaɪs] : 1. *procédé, dispositif* 2. *ruse, stratagème*. 3. *formule*. 4. *emblème*.

16. **to decoy** : 1. (ici) *attirer*. 2. *appâter* ; **a decoy** : *un leurre* ; *un piège*.

17. **according to** : 1. (ici) *selon, d'après*. 2. *conformément*. 3. *en fonction de*.

18. **unexpected** : 1. (ici) *inattendu, imprévu*.

19. **to slip** : 1. (ici) *se glisser*. 2. *glisser*.

20. **pantry** : 1. (ici) *office*. 2. *garde-manger*. 3. *cellier*.

21. **dawn** : *aube, aurore*.

When I could twist[1] my head round I looked into the tinted spectacles of my friend and rival, Mr. Barker. It was a curious foregathering[2] and set us both smiling. It seems that he had been engaged[3] by Dr. Ray Ernest's family to make some investigations and had come to the same conclusion as to foul play[4]. He had watched the house for some days and had spotted[5] Dr. Watson as one of the obviously[6] suspicious characters who had called there. He could hardly arrest Watson, but when he saw a man actually[7] climbing out[8] of the pantry window there came a limit to his restraint[9]. Of course, I told him how matters stood and we continued the case together."

"Why him? Why not us?"

"Because it was in my mind to put that little test which answered[10] so admirably. I fear you would not have gone so far."

The inspector smiled.

"Well, maybe not. I understand that I have your word[11], Mr. Holmes, that you step right out of[12] the case now and that you turn all your results over to us."

"Certainly, that is always my custom[13]."

"Well, in the name of the force[14] I thank you. It seems a clear case, as you put it, and there can't be much difficulty over the bodies."

---

1. **to twist** : voir note 2, p. 168 ; (ici) *tourner*.

2. **to foregather** : *se réunir*.

3. **to engage** [ɪnˈɡeɪdʒ] : 1. (ici) *engager*. 2. *susciter, attirer*. 3. *prendre part*.

4. **foul play** : 1. (ici) *acte criminel, meurtre* ; *agression*. 2. *tricherie*. 3. *jeu irrégulier*.

5. **to spot** : (ici) *repérer* ; *apercevoir*. Rappel : voir note 15, p. 145.

6. **obviously** : 1. (ici) *manifestement*. 2. *évidemment, de toute évidence*.

7. **actually** : 1. (ici) *vraiment*. 2. *en fait*. ▶ Attention : *actuellement* se traduit par **currently, at the moment, at present**.

Quand j'ai pu tourner la tête, j'ai vu les lunettes teintées de mon ami et rival, M. Barker. Ce fut une curieuse réunion qui nous fit sourire tous les deux. Il semble qu'il avait été engagé par la famille du Dr Ray Ernest pour faire des recherches et qu'il était arrivé à la même conclusion qu'il y avait eu un crime. Il surveillait la maison depuis quelques jours et avait repéré le Dr Watson comme l'un des personnages manifestement suspects qui étaient venus. Il pouvait difficilement arrêter Watson, mais quand il a vu un homme s'échapper vraiment par la fenêtre de l'office, il y a eu une limite à sa réserve. Bien sûr je lui ai dit comment l'affaire se présentait et nous la continuâmes ensemble.

— Pourquoi lui ? Pourquoi pas nous ?

— Parce que j'avais en tête de faire ce petit test qui s'est avéré si positif. Je crains que vous n'ayez pas pu aller si loin.

L'inspecteur sourit.

— Ma foi, peut-être pas. Je comprends que j'ai votre parole, monsieur Holmes, que vous vous retirez tout à fait de l'affaire, et que vous nous faites part de tous vos résultats.

— Certainement, c'est toujours mon usage.

— Bien, je vous remercie au nom de la police. L'affaire paraît claire, telle que vous la présentez, et il ne peut y avoir beaucoup de difficulté à trouver les corps.

---

8. **to climb out** : m. à m. *sortir en escaladant, grimpant.*

9. **restraint** : 1. (ici) *retenue ; réserve.* 2. *contrainte ; restriction.* 3. *contrôle.* 4. *sobriété.*

10. **to answer** : 1. (ici) *s'avérer, correspondre, satisfaire.* 2. *répondre.*

11. **word** : 1. (ici) *parole.* 2. *mot.*

12. **to step right out of** : m. à m. *sortir donc ici se retirer de l'affaire.*

13. **custom** : 1. (ici) *usage, coutume.* 2. *habitude.* 3. *clientèle.*

14. **the force** : 1. (ici) *police.* 2. *force.* 3. *violence.*

"I'll show you a grim[1] little bit of evidence[2]," said Holmes, "and I am sure Amberley himself never observed it. You'll get results, Inspector, by always putting yourself in the other fellow's place, and thinking what you would do yourself. It takes some imagination, but it pays. Now, we will suppose that you were shut up[3] in this little room, had not two minutes to live, but wanted to get even[4] with the fiend[5] who was probably mocking at you from the other side of the door. What would you do?"

"Write a message[6]."

"Exactly. You would like to tell people how you died. No use writing on paper. That would be seen. If you wrote on the wall someone might rest[7] upon it. Now, look here! Just above the skirting is scribbled with a purple[8] indelible[9] pencil: 'We we —' That's all."

"What do you make of that?"

"Well, it's only a foot above the ground. The poor devil was on the floor dying when he wrote it. He lost his senses[10] before he could finish."

"He was writing, 'We were murdered.'"

"That's how I read it. If you find an indelible pencil on the body —"

"We'll look out for it, you may be sure. But those securities[11]? Clearly there was no robbery[12] at all.

---

1. **grim** : 1. (ici) *lugubre, sinistre.* 2. *sévère, dur(e)* ; *inflexible.* 3. *abattu, déprimé, patraque.*

2. **evidence** : 1. (ici) *preuve.* 2. *témoignage.* 3. *signe, marque.* ▶ Attention : le français *évidence* se dit **obviousness**, voir note 6, page précédente.

3. **shut up** : rappel : voir note 13, p. 177.

4. **to get even** : 1. (ici) *prendre sa revanche, régler ses comptes avec.* 2. *être sur le même pied que.*

5. **fiend** [fi:nd] : 1. (ici) *monstre, démon, diable.* 2. *fana, mordu* ; *maniaque.*

— Je vais vous montrer un lugubre bout de preuve, dit Holmes, et je suis sûr qu'Amberley lui-même ne l'a jamais observé. Vous obtiendrez des résultats, inspecteur, en vous mettant toujours à la place de l'autre type, et en pensant ce que vous feriez vous-même. Cela demande de l'imagination, mais c'est payant. Maintenant, supposons que vous soyez enfermé dans cette petite pièce, que vous n'avez que deux minutes à vivre, mais voulez prendre votre revanche sur le monstre qui est probablement en train de se moquer de vous de l'autre côté de la porte. Que feriez-vous ?

— Écrire un message.

— Exactement. Vous aimeriez dire au monde comment vous êtes mort. Pas utile d'écrire sur un papier. Ça se verrait. Si vous écrivez sur le mur, quelqu'un pourrait tomber dessus. Maintenant, regardez ici ! Juste au-dessus de la plinthe est griffonné avec un crayon rouge indélébile : « Nous av... » C'est tout.

— Qu'en déduisez-vous ?

— Bien, ce n'est qu'à trente centimètres au-dessus du sol. Le pauvre diable était à terre quand il a écrit ça. Il a perdu connaissance avant qu'il ait pu terminer.

— Il écrivait : « Nous avons été assassinés. »

— C'est ainsi que je l'interprète. Si vous trouvez un crayon rouge indélébile sur le corps...

— Nous allons le chercher, vous pouvez en être sûr. Mais ces titres ? Il est clair qu'il n'y a pas du tout eu de cambriolage.

---

6. **message** ['mesɪdʒ].

7. **to rest** : 1. (ici) *se poser sur, tomber dessus* (sens figuré). 2. *se reposer, s'arrêter, faire une pause.*

8. **purple** : 1. (ici) *violet ; pourpre.* 2. (prose) *ampoulé, emphatique.*

9. **indelible** [ɪn'delɪbl] : 1. (ici) *indélébile.* 2. *impérissable.*

10. **to loose one's senses** : *perdre connaissance.*

11. **securities** : voir note 5, p. 150.

12. **robbery** : voir note 20, p. 169.

And yet he did[1] possess those bond[2]. We verified that."

"You may be sure he has them hidden[3] in a safe place. When the whole elopement[4] had passed into[5] history[6], he would suddenly discover them and announce that the guilty couple had relented[7] and sent back the plunder[8] or had dropped[9] it on the way."

"You certainly seem to have met every difficulty," said the inspector. "Of course, he was bound[10] to call us in[11], but why he should have gone to you I can't understand."

"Pure swank[12]!" Holmes answered. "He felt so clever and so sure of himself that he imagined no one could touch him. He could say to any suspicious neighbour, 'Look at the steps[13] I have taken. I have consulted not only the police but even Sherlock Holmes.'"

The inspector laughed.

"We must forgive[14] you your 'even,' Mr. Holmes," said he "it's as workmanlike[15] a job as I can remember."

A couple of days later my friend tossed[16] across to me a copy of the bi-weekly[17] North Surrey Observer. Under a series of flaming[18] headlines19, which began with "The Haven Horror" and ended with "Brilliant Police Investigation," there was a packed[19] column of print[20] which gave the first consecutive[21] account of the affair. The concluding paragraph is typical of the whole. It ran thus:

---

1. **he did possess** : *il possédait vraiment.* ▶ Rappel : voir note 4, p. 160.

2. **bonds** : 1. (ici) *titres, bons.* 2. *contrat, engagement.* 3. *caution financière.* 4. *adhérence.* 5. *liaison* (chimie). 6. **in bond** : *en entrepôt.*

3. **hidden** : p. passé du verbe irrégulier **to hide, hid, hidden**, 1. (ici) *cacher, dissimuler.* 2. *se cacher.*

4. **elopement** : 1. (ici) *fugue amoureuse.* 2. *fuite.*

5. **to pass into** : 1. (ici) *s'estomper, s'effacer.* 2. *passer.*

6. **history** : m. à m. *histoire* rendu ici par *temps.*

7. **to relent** : *se laisser fléchir, plier, céder* rendu ici par *avoir des remords.*

8. **plunder** : *butin.* ▶ Rappel : voir note 7, p. 150.

9. **to drop** : 1. (ici) *déposer.* 2. *laisser tomber.* 3. *lâcher, lancer.* 4. *baisser, réduire.* 5. *abandonner.* 6. *écrire, envoyer.* 7. *omettre, supprimer.*

10. **to be bound** : 1. (ici) *être tenu.* 2. *être voué à, soumis à.* 3. *être lié.*

11. **to call in** : 1. *faire appel.* 2. *faire venir.* 3. *rappeler.*

— Et pourtant il possédait *vraiment* ces titres. Nous l'avons vérifié.

— Vous pouvez être sûr qu'il les garde cachés en lieu sûr. Quand cette fugue amoureuse se serait estompée dans le temps, il les découvrirait soudain et annoncerait que le couple coupable avait eu des remords et renvoyé le butin ou l'avait déposé au passage.

— Il semble que vous avez résolu chaque difficulté, dit l'inspecteur. Bien sûr, il était tenu de faire appel à nous, mais je ne comprends pas pourquoi il s'est adressé à vous.

— Pure esbroufe ! répondit Holmes. Il se croyait si malin et si sûr de lui qu'il s'imaginait que personne ne pouvait l'atteindre. Il pouvait dire à tout voisin soupçonneux : « Regardez les dispositions que j'ai prises. Non seulement j'ai consulté la police, mais même Sherlock Holmes. »

L'inspecteur eut un rire.

— Nous devons vous pardonner ce « même », dit-il ; je ne peux me rappeler un travail aussi professionnel.

Deux jours plus tard, mon ami me lança un exemplaire du bihebdomadaire le North Surrey Observer. Sous une série de gros titres flamboyants, commençant par « L'horreur du Refuge » et se terminant par « Brillante enquête policière », il y avait une colonne de caractères serrés qui donnait le premier compte rendu chronologique de l'affaire. Le paragraphe qui concluait était typique de l'ensemble. Il disait :

---

12. **swank** : 1. (ici) *esbroufe*. 2. *frime* ; *frimeur (euse)*. 3. (US) *chic, luxe*.

13. **steps** : 1. (ici) *dispositions, mesures*. 2. *étapes*. 3. *marche*. 4. *pas*.

14. **to forgive, forgave, forgiven** : 1. (ici) *pardonner*. 2. *faire grâce* (d'une dette).

15. **workmanlike** : 1. (ici) *professionnel*. 2. *bien fait, soigné*. 3. *sérieux (euse)* ; *consciencieux (euse)*.

16. **to toss** : 1. (ici) *lancer* ; *jeter*. 2. *mélanger*. 3. *s'agiter*.

17. **bi-weekly** : *bihebdomadaire* ; *bimensuel*.

18. **flaming** : 1. (ici) *flamboyant(e)* (titre). 2. *ardent(e)*. 3. *satané*.

19. **headlines** : 1. (ici) *gros titres, manchettes*. 2. *grands titres* (TV).

19. **to pack** : 1. (ici) *tasse, entasser* donc rendu ici par *serrer*, **packed column**, *colonnes serrées*.

20. **print** : 1. (ici) *caractère*. 2. *texte imprimé*. 3. (photo) *épreuve, tirage*. 4. *estampe, gravure*. 5. *imprimé* (tissu). 6. *empreinte* (digitale).

21. **consecutive** [kən'sekjʊtɪv] : *consécutif* rendu ici par *chronologique*.

The remarkable acumen[1] by which Inspector MacKinnon deduced[2] from the smell of paint that some other smell, that of gas, for example, might be concealed; the bold[3] deduction that the strong-room might also be the death-chamber, and the subsequent[4] inquiry which led to the discovery of the bodies in a disused[5] well[6], cleverly concealed by a dog kennel[7], should live in the history of crime as a standing[8] example of the intelligence of our professional detectives.

"Well, well, MacKinnon is a good fellow," said Holmes with a tolerant smile. "You can file[9] it in our archives[10], Watson. Some day the true story may be told."

---

1. **acumen** : 1. (ici) *perspicacité*; *sagacité*; *flair*. 2. *finesse*.
2. **deduced** [dɪˈdjuːst].
3. **bold** : 1. ici) *audacieux (euse)*, *hardi(e)*; *intrépide*. 2. *effronté(e)*. 3. *assuré(e)*.
4. **subsequent** : 1. (ici) *ultérieur(e)*, *subséquent(e)*. 2. *suivant(e)*. 3. *successif (ive)*.
5. **disused** [ˈdɪsjuːzd] : 1. (ici) *laissé(e) à l'abandon*, *désaffecté(e)*. 2. *désuet (ète)*.

*La remarquable perspicacité avec laquelle l'inspecteur MacKinnon a déduit de l'odeur de peinture qu'une autre odeur, celle du gaz, par exemple, pouvait être dissimulée; la déduction audacieuse que la chambre forte pouvait également être la chambre de la mort, et l'enquête ultérieure qui conduisit à la découverte des corps dans un puits laissé à l'abandon, habilement caché sous une niche pour chien, devrait dans l'histoire du crime, rester comme un exemple marquant de l'intelligence de nos inspecteurs de police.*

— Bien, bien, MacKinnon est un brave gars, dit Holmes avec un sourire tolérant. Vous pouvez classer ça dans vos archives, Watson. Un jour, la vraie histoire pourra être racontée

---

6. **well** : Rappel : voir note 21, p. 171.
7. **dog kennel** : 1. (ici) *niche pour chien* ; *chenil*.
8. **standing** : 1. (ici) *marquant(e)*. 2. *permanent(e)*. 3. *debout*.
9. **to file** [faɪl] : 1. (ici) *classer*. 2. *déposer* (plainte). 3. *limer*.
10. **archives** [ˈɑːˤkaɪvz].

# Liste complète des nouvelles Sherlock Holmes

▶ novembre 1887 : **A Study in Scarlet** – *Une étude en rouge*

▶ février 1890 : **The Sign of Four** – *Le Signe des quatre*

▶ 1891-1892 : *12 NOUVELLES* :
**LES AVENTURES DE SHERLOCK HOLMES**
juillet 1891 : **A Scandal in Bohemia** – *Un scandale en Bohême*
août 1891 : **The Red-Headed League** – *La Ligue des rouquins*
septembre 1891 : **A case of Identity** – *Une affaire d'identité*
octobre 1891 : **The Boscombe Valley Mystery** –
   *Le Mystère du Val Boscombe*
novembre 1891 : **The Five Orange Pips** –
   *Les Cinq Pépins d'orange*
décembre 1891 : **The Man With the Twisted Lip** –
   *L'Homme à la lèvre tordue*
janvier 1892 : **The Adventure of the Blue Carbuncle** –
   *L'Escarboucle bleue*
février 1892 : **The Adventure of the Speckled Band** –
   *Le Ruban moucheté*
mars 1892 : **The Adventure of the Engineer's Thumb** –
   *Le Pouce de l'ingénieur*
avril 1892 : **The Adventure of the Noble Bachelor** –
   *Un aristocrate célibataire*
mai 1892 : **The Adventure of the Beryl Coronet** –
   *Le Diadème de béryl*
juin 1892 : **The Adventure of the Copper Beeches** –
   *Les Hêtres rouges*

▶ 1892-1893 : *12 NOUVELLES* :
**LES MÉMOIRES DE SHERLOCK HOLMES**
décembre 1892 : **Siver Blaze** – *Flamme d'Argent*
janvier 1893 : **The Adventure of the Cardboard box** –
   *La Boîte en carton*

février 1893 : **The Adventure of the Yellow face** –
  *La Figure jaune*
mars 1893 : **The Stock-broker's Clerk** –
  *L'Employé de l'agent de change*
avril 1893 : **The "Gloria Scott"** – *Le Gloria Scott*
mai 1893 : **The Musgrave Rital** – *Le Rituel des Musgraves*
juin 1893 : **The Adventure of the Reigate Square** –
  *Les Propriétaires de Reigate*
juillet 1893 : **The Adventure of the Crooked Man** – *Le Tordu*
août 1893 : **The Resident Patient** –
  *Le Pensionnaire en traitement*
septembre 1893 : **The Greek Interpreter** – *L'Interprète grec*
octobre-novembre 1893 : **The Naval Treaty** – *Le Traité naval*
décembre 1893 : **The Final Problem** – *Le Dernier Problème*

▶ août 1901 à mai 1902 : **The Hound of the Baskervilles** –
  *Le Chien des Baskerville*

▶ 1903-1904 : *13 NOUVELLES* :
**LE RETOUR DE SHERLOCK HOLMES**
octobre 1903 : **The Adventure of the Empty House** –
  *La Maison vide*
novembre 1903 : **The Adventure of the Norwood Builder** –
  *L'Entrepreneur de Norwood*
décembre 1903 : **The Adventure of the Dancing Man** –
  *Les Hommes dansants*
janvier 1904 : **The Adventure of the Solitary Cyclist** –
  *La Cycliste solitaire*
février 1904 : **The Adventure of the Priory School** –
  *L'École du prieuré*
mars 1904 : **The Adventure of Black Peter** – *Peter le Noir*
avril 1904 : **The Adventure of Charles Augustus Milverton** –
  *Charles Auguste Milverton*
mai 1904 : **The Adventure of the Six Napoleons** –
  *Les Six Napoléons*
juin 1904 : **The Adventure of the Three Students** –
  *Les Trois Étudiants*
juillet 1904 : **The Adventure of the Golden Pince-Nez** –
  *Le Pince-Nez en or*

août 1904 : **The Adventure of the Missing Three Quarter** –
*Le Trois-Quart manquant*

septembre 1904 : **The Adventure of the Abbey Grange** –
*Le Manoir de l'abbaye*

décembre 1904 : **The Adventure of the Second Stain** –
*La Deuxième tache*

▶ 1908 à 1917 : *7 NOUVELLES* :
**SON DERNIER COUP D'ARCHET**

août-sept. 1908 : **The Adventure of Wisteria Lodge** –
*L'Aventure de Wisteria Lodge*

décembre 1908 : **The Adventure of the Bruce Pardington
Plans** – *Les Plans du Bruce Pardington*

décembre 1910 : **The Aventure of the Devil's Foot** –
*L'Aventure du pied du diable*

mars-avril 1911 : **The Adventure of the Red Circle** –
*L'Aventure du cercle rouge*

décembre 1911 : **The Disappearance of Lady France Carfax** –
*La Disparition de Lady France Carfax*

novembre-décembre 1913 : **The Adventure of the Dying
Detective** – *Le Détective agonisant*

septembre 1917 : **His Last Bow** – *Son dernier coup d'archet*

▶ septembre 1914 à mai 1915 : **The Valley of Fear** –
*La Vallée de la peur*

▶ **1921 à 1927** : *12 NOUVELLES* :
**LES ARCHIVES DE SHERLOCK HOLMES**

octobre 1921 : **The Adventure of the Mazarin Stone** –
*La Pierre de Mazarin*

février-mars 1922 : **The Problem of Thor Bridge** –
*Le Problème du Pont de Thor*

mars 1923 : **The Adventure of the Creeping Man** –
*L'Homme qui grimpait*

janvier 1924 : **The Adventure of the Sussex Vampire** –
*Le Vampire du Sussex*

janvier 1925 : **The Adventure of the Three Garridebs** –
*Les Trois Garridebs*

février-mars 1925 : **The Adventure of the Illustrious Client** –
*L'Illustre Client*

*Cet ouvrage a été composé et mis en page
par Peter Vogelpoel*

*Imprimé en France par* CPI
en avril 2022
N° d'impression : 2064521

Pocket – 92 avenue de France, 75013 PARIS

Dépôt légal : mai 2016
Suite du premier tirage : avril 2022
S26789/07